D0812958

Tout savoir sur

LES CHAMPIGNONS DU QUÉBEC

Tout savoir sur LES CHAMPIGNONS DU QUÉBEC

Marc Meloche

Le Petit Format du Québec

Montage: Studio AD HOC

Illustrations: J. St-Denis-Duchesnay

ISBN: 2-7604-0083-2

Introduction

Il vous est sûrement arrivé, lors d'une promenade en forêt, de découvrir de magnifiques champignons aux couleurs vives et variées. Vous en avez aussi rencontrés dans les champs et sur la pelouse de votre jardin. En fait, il n'est pas bien difficile de les trouver puisqu'ils poussent partout. Cependant, bien peu de gens s'aventurent à les cueillir pour les manger. Notre ignorance et notre crainte face aux champignons nous les font considérer comme des fruits mystérieux et maléfiques dont il faut se méfier. Quand on songe que bien des peuples, notamment les Européens, connaissent et utilisent les champignons depuis des siècles, il ne tient qu'à nous d'en faire autant. Nous avons tous, un jour ou l'autre, cueilli des fraises ou des bleuets; alors, pourquoi pas des champignons?

Bien sûr, plusieurs objecteront que les champignons ne sont pas tous comestibles et que certains sont vénéneux, et même mortels. Cet ouvrage a justement été conçu dans le but de dissiper ces craintes. Il vous propose une approche simple quant à la façon de les identifier et de les cueillir.

Par ailleurs, comme il existe plusieurs centaines d'espèces différentes, nous avons préféré ne choisir que les plus intéressantes. Vous pourrez, dans les pages suivantes, apprendre à reconnaître les quelques espèces dangereuses; mais aussi une cinquantaine d'autres parmi les plus délicieuses. Ce livre deviendra vite, pour le débutant ou l'amateur, un guide précieux qu'il pourra emporter avec lui lors d'excursions à la campagne.

Enfin, étant donné que l'on cueille des champignons surtout pour les manger, le lecteur trouvera dans cet ouvrage quelques recettes fameuses qu'il pourra réussir avec le fruit de sa récolte.

Qu'est-ce qu'un champignon?

A l'instar des arbres et des plantes, les champignons sont des végétaux. Les botanistes les classent, toutefois, parmi les plantes dites inférieures, car ils ne produisent pas de fleurs ou de fruits. Bien plus encore, ils ne possèdent pas de racines, tiges et feuilles. Enfin, la chlorophylle, produisant la coloration verte chez les plantes, est absente chez les champignons. C'est dire qu'il ne reste finalement plus grand-chose. En somme, le champignon n'est qu'un organe de reproduction maintenu en vie par de petits filaments enfouis dans l'humus du sol ou le bois des arbres.

La partie visible du champignon se compose, en général, de trois éléments principaux: le chapeau, les lamelles et le pied. Viennent parfois s'ajouter, chez certaines espèces, deux autres éléments importants: la volve et l'anneau. C'est à partir de ces cinq éléments que nous pourrons apprendre à identifier chaque champignon. Il est donc très important de vous familiariser, dès le départ, avec les termes que nous venons de citer. Ce petit effort vous évitera bien des erreurs et des méprises pouvant parfois entraîner des suites fâcheuses.

Les parties du champignon

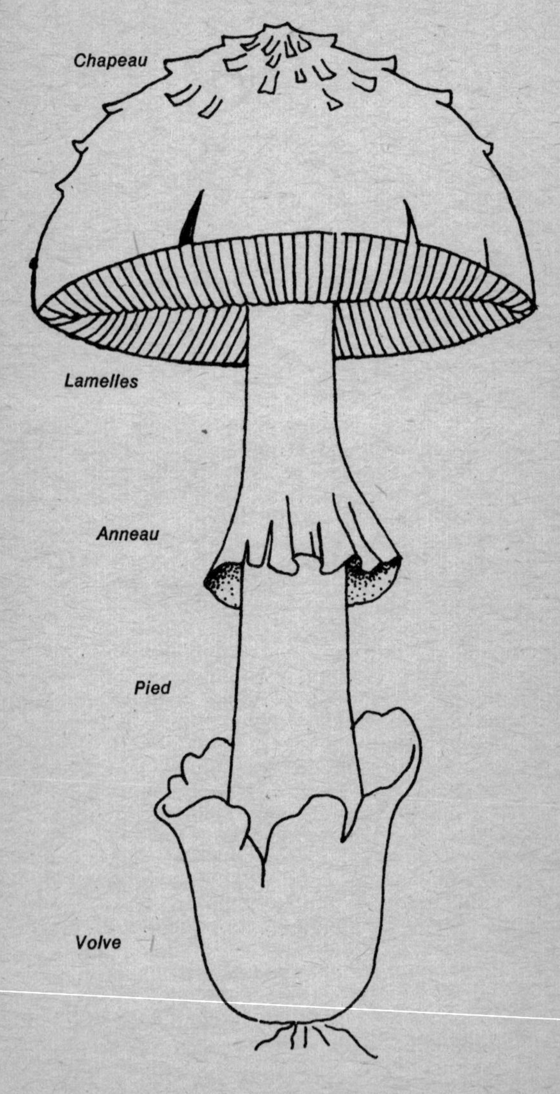

Naissance de la volve

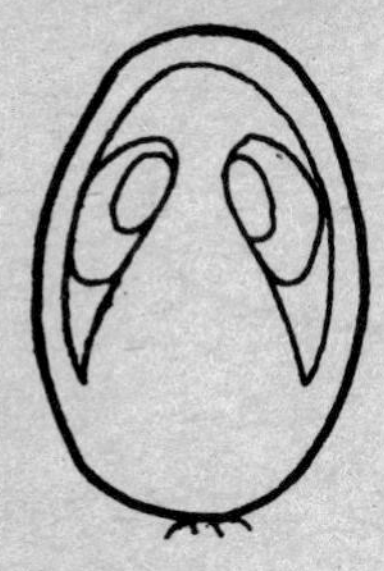

L'oeuf recouvert du voile majeur.

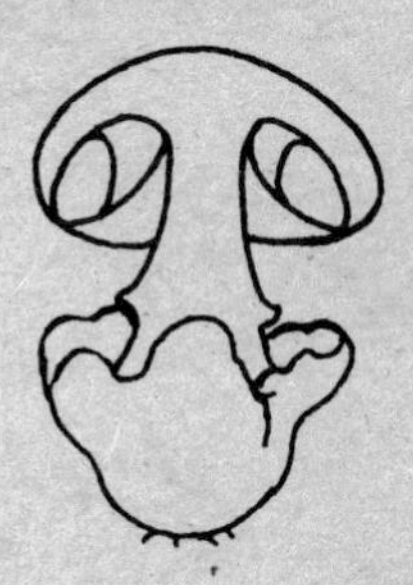

Le chapeau sort de l'oeuf et brise le voile.

Les débris du voile majeur persistent à la base sous forme de volve et sur le chapeau sous forme d'écailles.

Naissance de l'anneau

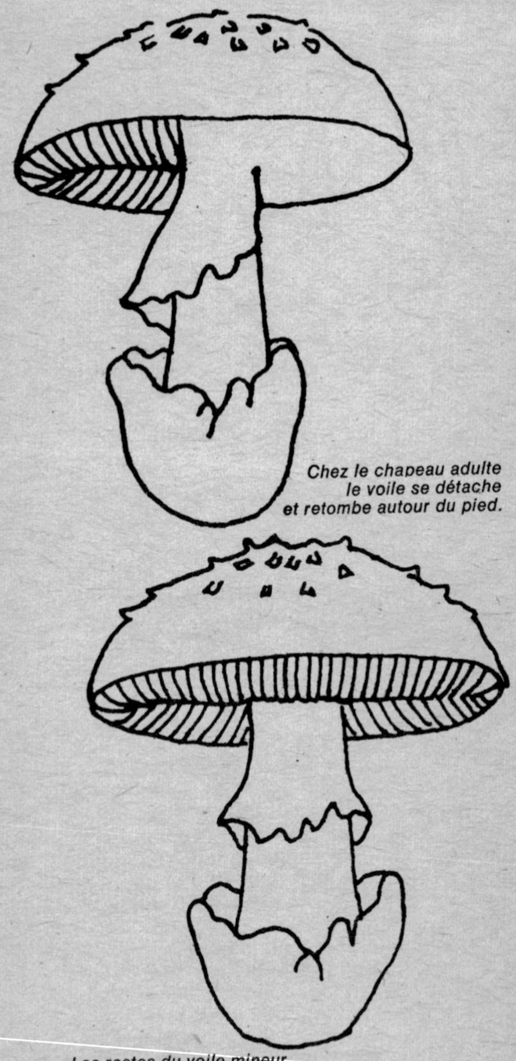

Chez le chapeau adulte le voile se détache et retombe autour du pied.

Les restes du voile mineur persistent sous forme d'anneau autour du pied.

Le chapeau

La forme

La plupart des champignons dont il est fait mention dans les pages suivantes, sont munis d'un chapeau. Toutefois, leur forme et leur texture peuvent parfois varier considérablement d'un champignon à l'autre. De plus, chez la plupart des espèces, le chapeau prend une allure différente selon que le sujet est jeune ou plus âgé.
Par exemple, chez certaines espèces, il est d'abord presque sphérique, puis se transforme en demi-sphère, pour finalement devenir plat.

Le tableau de la page 17 montre les formes les plus communes des chapeaux à l'âge adulte.

Les différentes formes du chapeau

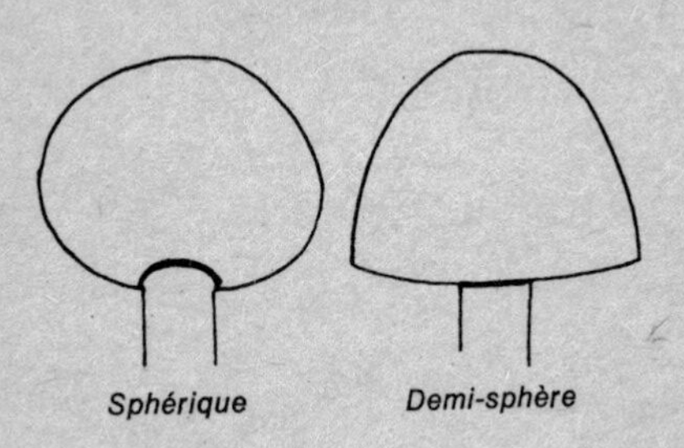

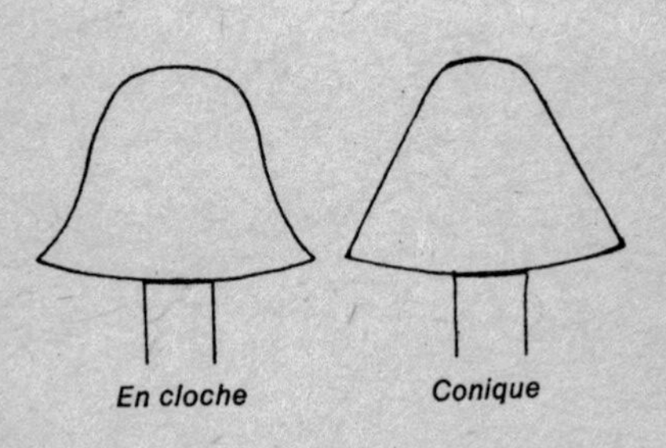

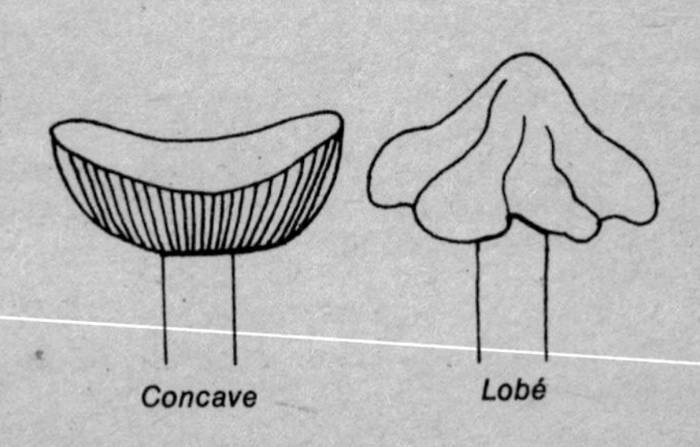

Les différentes textures du chapeau

La texture

La texture du chapeau varie d'une espèce à l'autre. Certains chapeaux sont lisses, d'autres écailleux ou fibreux. De plus, ils peuvent être secs ou, au contraire, visqueux. Ces caractères ne sont, cependant, pas toujours constants. Ainsi, plusieurs chapeaux, d'abord écailleux, perdent leurs écailles en vieillissant; ou bien c'est le contraire qui se produit. Aussi, certains chapeaux habituellement secs deviennent visqueux par temps humide, tandis que d'autres resteront secs, même sous la pluie.

Enfin, la texture du chapeau, bien que variable, permet quand même d'aider à identifier chaque espèce.

La marge

La marge est simplement le terme qui désigne le rebord du chapeau. Ce détail permet parfois de différencier certaines espèces à chapeau identique, mais dont la marge de l'une est, par exemple, droite et celle de l'autre striée ou ondulée. On distingue généralement 4 types de marge.

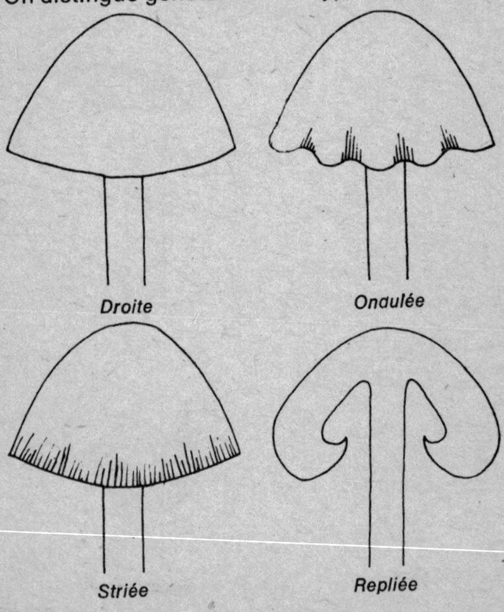

Les lamelles

Les lamelles sont de petites membranes qui ressemblent, le plus souvent, à des lames de rasoir. Elles sont disposées en éventail sous le chapeau. Leur couleur, leur espacement ou la façon dont elles sont disposées, jouent souvent un rôle très important dans l'identification de chaque espèce. Certaines espèces vénéneuses peuvent, entre autres, être différenciées facilement d'autres espèces comestibles par la forme différente de leurs lamelles.

D'autre part, les lamelles sont parfois remplacées par des tubes ou des aiguilles chez certains groupes de champignons. Ils sont également placés sous le chapeau, mais à la verticale. Les champignons dépourvus de chapeau n'ont évidemment ni lamelles ni tubes.

On distingue plusieurs formes de lamelles, mais nous ne retiendrons que les quatre principales, illustrées ci-contre. Nous mentionnerons parfois qu'elles sont espacées ou serrées, selon que la distance entre chaque lamelle
est plus ou moins grande.

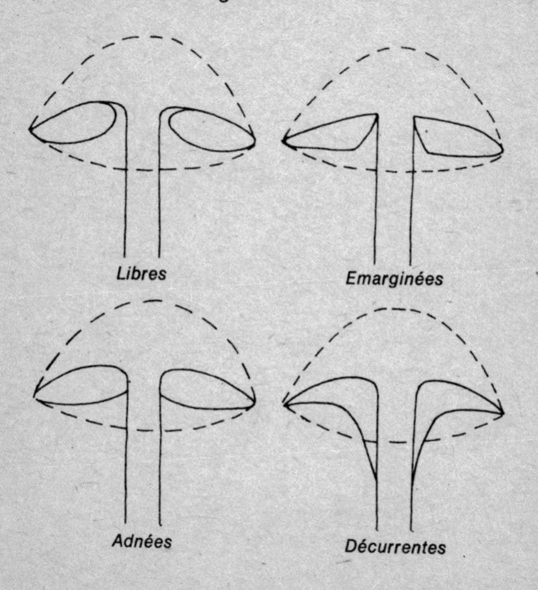

Les spores

Les lamelles ou les tubes jouent aussi le rôle de sachets contenant les spores.

Ces spores sont l'équivalent des graines que l'on retrouve chez les autres plantes. Lorsque le champignon devient mûr, les lamelles laissent s'échapper les spores afin de pouvoir multiplier l'espèce.

La couleur des spores peut servir, quelquefois, à différencier deux espèces de champignons d'apparence identique. C'est pourquoi nous mentionnerons toujours la couleur des spores de chaque champignon que nous décrirons. A titre d'exemple: la volvaire soyeuse (comestible) ressemble parfois beaucoup à l'amanite printanière (mortelle). Toutefois, la volvaire a des spores roses tandis que celles de l'amanite sont blanches.

La meilleure façon de déterminer la couleur des spores consiste à placer le chapeau d'un champignon mûr sur une feuille de papier blanc. Après quelques heures, les spores se déposent en grand nombre sur la feuille et leur couleur devient ainsi très visible.

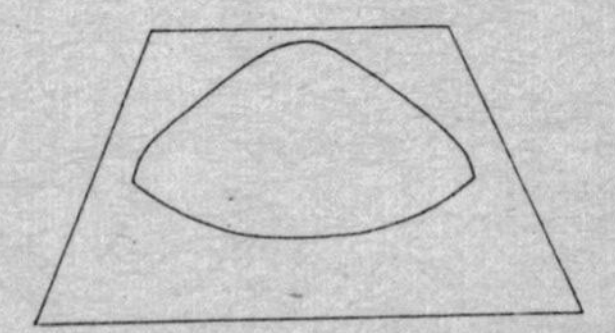

Déposez le chapeau sur une feuille de papier blanc.

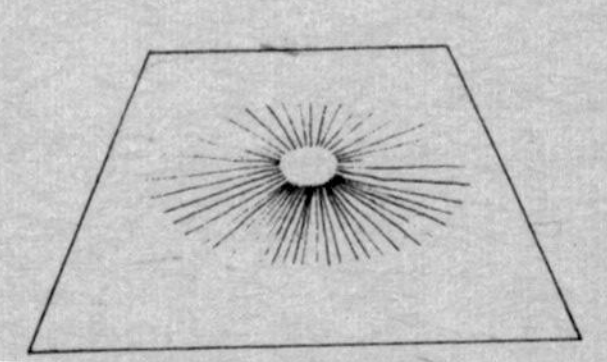

Retirez le chapeau après quelques heures et vous verrez que les spores se sont déposées en grand nombre sur le papier.

Le pied

Le pied est le support qui retient le chapeau. Il varie de forme selon les espèces. Il peut être droit, conique, fort, mince, etc. Ces variantes permettent souvent d'aider à identifier chaque espèce. Les caractéristiques les plus importantes, toutefois, sont la présence ou l'absence d'un anneau et d'une volve. Ces deux composantes permettent souvent de déterminer, *de façon certaine,* si un champignon est vénéneux ou non. Il faut donc attacher la plus grande importance à l'anneau et à la volve lorsqu'il s'agit de différencier certains champignons comestibles des espèces vénéneuses de même apparence.

Différentes formes du pied

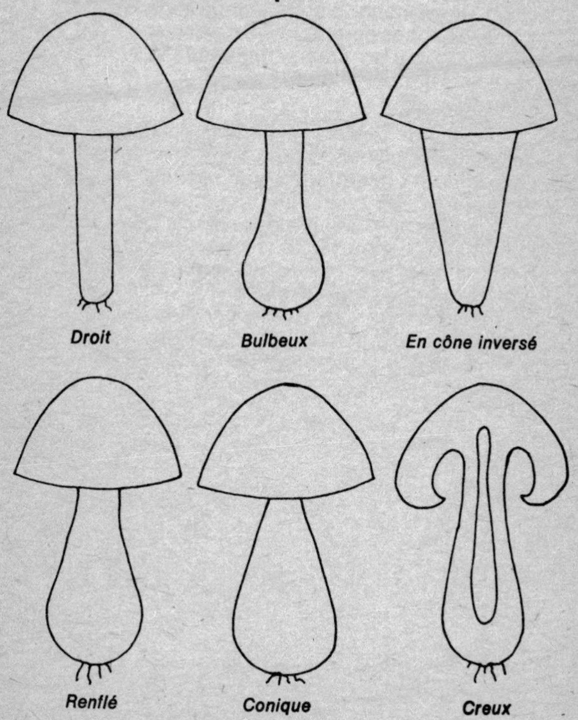

La volve

Elle est constituée d'une membrane formant un sac plus ou moins apparent autour de la base du pied. Souvent très visible, elle est parfois enfouie sous la terre, ou partiellement rongée par les vers. Elle n'existe pas sur tous les champignons. Cependant, toutes les espèces mortelles en sont pourvues, ce qui en rend l'identification plus facile.

Il convient maintenant d'expliquer brièvement comment se forme cette volve, afin d'en faciliter l'identification.

Certains champignons ont, à leur naissance, la forme d'un oeuf. Cet oeuf est recouvert d'une membrane appelée *voile majeur ou universel.* Bientôt, le chapeau brise la membrane et sort de l'oeuf. La partie inférieure du voile majeur reste donc au sol et prend alors le nom de *volve.* La partie supérieure du voile demeure plus ou moins fixée sur le chapeau et se transforme en écailles

L'anneau

A l'instar de la volve, l'anneau provient des restes d'une membrane que l'on nomme *voile mineur ou partiel.* Ce second voile, moins important que le précédent, enveloppe les lamelles au moment de la naissance. Lorsque le chapeau se développe, le voile mineur se détache et retombe autour du pied pour former un genre *d'anneau.*

Mentionnons, enfin, que certains champignons sont munis d'une volve et d'un anneau ou ne possèdent que l'un des deux ou n'ont ni l'un ni l'autre

Comment les cueillir

Il vous faut, au départ, un bon couteau ou une petite pelle à jardinage, des sacs de plastique et un panier ou un gros sac de papier.

Le temps le plus propice à la cueillette des champignons survient, généralement, après une longue période de pluie. Il ne vaut pas la peine d'aller à leur recherche lors d'une période de temps sec car vous risquez de revenir bredouille.

Lorsque vous cueillez un champignon dont vous n'êtes pas *absolument certain* de l'identité, prenez aussi la base du pied enfouie dans le sol. Pour ce faire, creusez la terre tout autour et sous le pied, avec votre couteau ou votre petite pelle. Assurez-vous que vous avez pris tout le pied, sans l'avoir abîmé. Cette précaution peut sembler quelque peu ennuyeuse au début, mais elle vous permettra de différencier certains champignons comestibles de ceux qui sont vénéneux et mortels. Cueillez toujours au moins 3 champignons de la même espèce. Comme ils croissent généralement par petits groupes, cela est assez facile. Si vous ne ramassez qu'un seul champignon, vous vous exposez à des erreurs graves. En effet, le spécimen que vous avez entre les mains n'est peut-être pas tout à fait conforme à l'image reproduite dans les livres, d'où le risque de confusion possible. De toute façon, un seul champignon ne vous serait pas très utile . . .

Dans le même ordre d'idées, il faut placer les champignons d'une même espèce dans un sac de plastique. Utilisez un sac par espèce. Si vous déposez tous vos spécimens sans discernement dans le même contenant, ils auront tôt fait de se mélanger et vous risquerez alors de ne plus pouvoir distinguer lequel est lequel. Enfin, cette pratique permet de conserver les champignons bien frais jusqu'à votre retour à la maison.

D'autre part, rejetez toujours toutes les variétés que vous ne connaissez pas ou qui ressemblent de trop près aux variétés dangereuses. Ne tentez surtout pas d'expériences nouvelles que vous pourriez regretter amèrement plus tard. Rappelons que ce livre ne contient que 50 espèces choisies parmi près de 200 autres. Il est donc fort probable que vous rencontriez certains champignons ne ressemblant à rien de ce que vous avez vu dans ce livre. Jetez-les tout simplement. Jetez aussi ceux dont vous n'êtes pas certain de l'identité exacte.

Enfin, il est préférable de cueillir tous les champignons lorsqu'ils sont jeunes. En vieillissant ils deviennent plus coriaces et moins savoureux. Les sujets dont le chapeau est devenu concave avec l'âge (et non parce que c'est sa forme naturelle) sont vraiment trop vieux et sont impropres à la consommation. Attention aux vers. Les champignons en sont souvent infestés, surtout les spécimens adultes.
Jetez tous ceux dont le pied ou le chapeau est percé de petits trous; c'est un signe que les vers y foisonnent.

Les amanites

Le groupe des amanites est, de toute évidence, celui dont il faut le plus se méfier. Il comporte, en effet, certaines espèces parmi les plus délicieuses, mais aussi celles que l'on considère les plus toxiques de tous les champignons. Certaines amanites constituent même des *poisons mortels.*

Par ailleurs, ces très beaux champignons vivement colorés, ou parfois blancs, peuvent aussi ressembler à certaines autres espèces comestibles appartenant à d'autres groupes, telles que la lépiote lisse ou la psalliote des prés. Aussi faut-il apprendre, dès le départ, à reconnaître les amanites mortelles ou très vénéneuses, ainsi que les autres champignons qui leur ressemblent. Il est donc fortement conseillé aux débutants et amateurs insuffisamment expérimentés *de ne pas consommer* d'amanites, à moins d'être accompagnés d'un expert reconnu. Plus tard, lorsque vous aurez acquis une bonne expérience, vous pourrez cueillir sans crainte de savoureuses amanites des Césars ou des amanites rougissantes.

D'autre part, mentionnons que les amanites possèdent toutes un anneau et une volve, et sont les seuls champignons à posséder les deux à la fois. C'est pourquoi il faut toujours cueillir les amanites, ou les champignons leur ressemblant, avec leur pied entier. Comme il est souvent enfoui sous la terre, il faut vous munir d'un bon couteau ou d'une petite pelle à jardinage, afin de pouvoir l'obtenir en entier. Enfin, leurs spores blanches, leurs lamelles libres et leur chapeau détachable permettent de préciser et de compléter leur identification.

L'amanite phalloïde
amanita phalloides

oronge ciguë
amanite brunissante (Pomerleau)

Chapeau: D'abord en forme de cloche, il s'étale en vieillissant et prend la forme d'une demi-sphère aplatie pouvant atteindre environ 8 à 10 cm de diamètre.
De couleur vert jaunâtre, vert olive ou même presque noir parfois, il est lisse et strié.
Note: Certains auteurs français prétendent que le chapeau peut parfois être complètement blanc, risquant ainsi une confusion avec la lépiote lisse ou la psalliote des prés. (Voir leur description.)

Lamelles: Elles sont libres, plutôt serrées et blanches.

Spores: Blanches.

Pied: Plutôt long et blanc, droit ou élargi au bas. Il est recouvert d'un duvet plus ou moins épais et est entouré d'un anneau membraneux à son sommet. Enfin, sa base est plus ou moins bulbeuse et devient creuse en vieillissant.

Volve: Membraneuse et blanche, elle forme un sac autour de la base du pied. Les vers, particulièrement friands de cette volve, en mangent souvent une grande partie.

Chair: Blanche et délicate, elle dégage une odeur plutôt désagréable. Elle possède une saveur âcre.

Habitat: On la rencontre fréquemment dans les bois, en été et en automne.

L'amanite phalloïde est, sans contredit, un des champignons les plus dangereux de notre flore. C'est un *poison mortel* qu'il faut savoir reconnaître à tout prix. Rappelons *qu'il ne faut pas* consommer d'amanites ou lépiotes pudiques (voir description) tant que l'on n'a pas appris avec certitude à reconnaître les amanites mortelles. Une méprise pourrait s'avérer fatale!

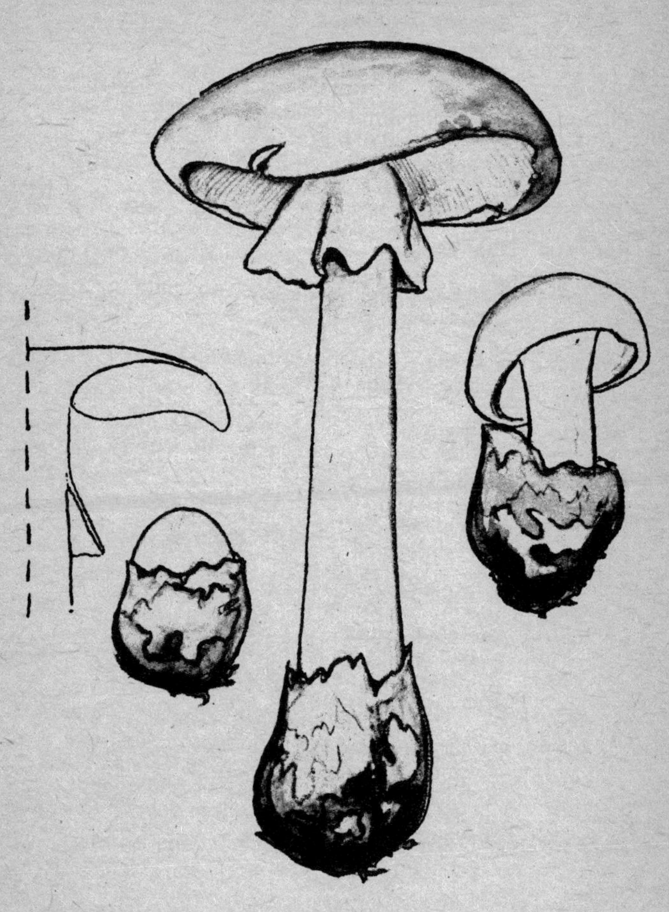

L'amanite phalloïde 

L'amanite des Césars
amanita caesarea
oronge vraie

Chapeau: D'abord sphérique, il s'étale en vieillissant pour atteindre environ 10 à 15 cm de diamètre à maturité. De couleur orangée et lisse, il se reconnaît à sa marge striée.

Lamelles: Elles sont libres et jaunes.

Spores: Blanches.

Pied: Fort et jaune, entouré à son sommet d'un anneau engainant.

Volve: Épaisse et blanche, formant un sac autour de la base du pied.

Chair: Epaisse et blanche, parfois légèrement teintée de jaune sous la membrane recouvrant le chapeau.

Habitat: Cette espèce *fort rare* se rencontre, quelquefois, en automne dans les forêts.

L'amanite des Césars est, selon l'avis des connaisseurs, le meilleur des champignons. Sa chair tendre et délicatement parfumée en fait un mets exceptionnel. Malheureusement, elle est très rare au Québec.

D'autre part, elle risque souvent d'être confondue avec la *très vénéneuse amanite tue-mouches.* Les débutants et les amateurs doivent éviter de cueillir ce champignon, de peur de se tromper. (Voir la description de l'amanite tue-mouches.)

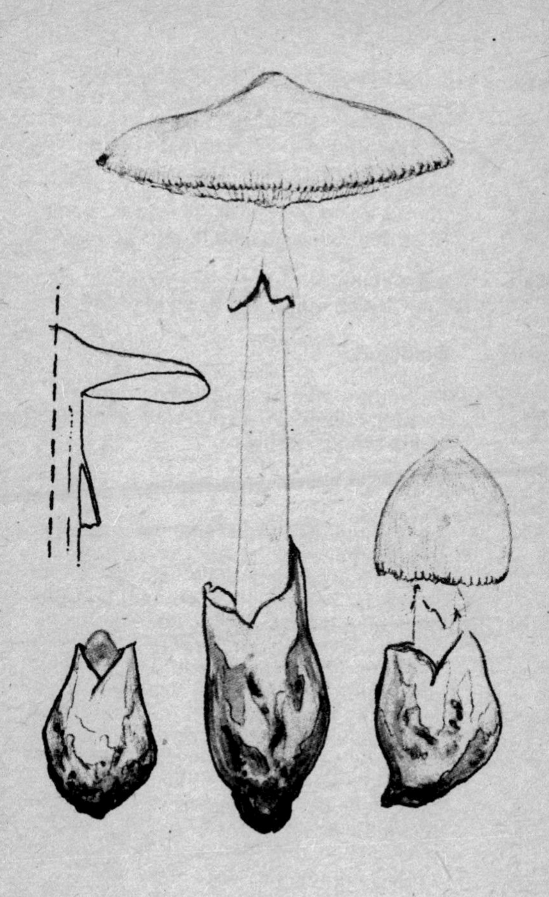

L'amanite des Césars

L'amanite rougissante
amanita rubescens

Chapeau: D'abord oval, il devient ensuite étalé en vieillissant et peut atteindre de 6 à 14 cm de diamètre. Blanc au départ, il vire ensuite au brun-rouge et se couvre de petites verrues brunes ou cendrées.

Lamelles: Elles sont libres, plutôt étroites et serrées. Elles sont blanches, tachetées de pourpre.

Chair: Elle est molle, plutôt mince et blanche. Elle vire au rouge lorsqu'on la casse.

Spores: Blanches.

Pied: Bulbeux, s'amincissant vers le haut. Le pied comporte, en outre, un anneau ample, blanc strié de pourpre.

Volve: Rudimentaire et souvent difficile à identifier.

L'amanite rougissante est une espèce assez répandue que l'on rencontre un peu partout dans les bois caducs et les clairières. On la reconnaît à sa chair blanche qui rougit lorsqu'on la casse. Toutefois, une variété vénéneuse, l'A. flavorubescens, possède la même propriété et risque fort d'être confondue avec elle. Le goût de l'amanite rougissante est excellent quoique fortement poivré. Il faut, en outre, faire cuire cette amanite car elle possède une toxine que seule la cuisson peut éliminer. Comme il est plutôt facile de la confondre avec des amanites mortelles, le débutant doit s'abstenir au début de consommer l'amanite rougissante.

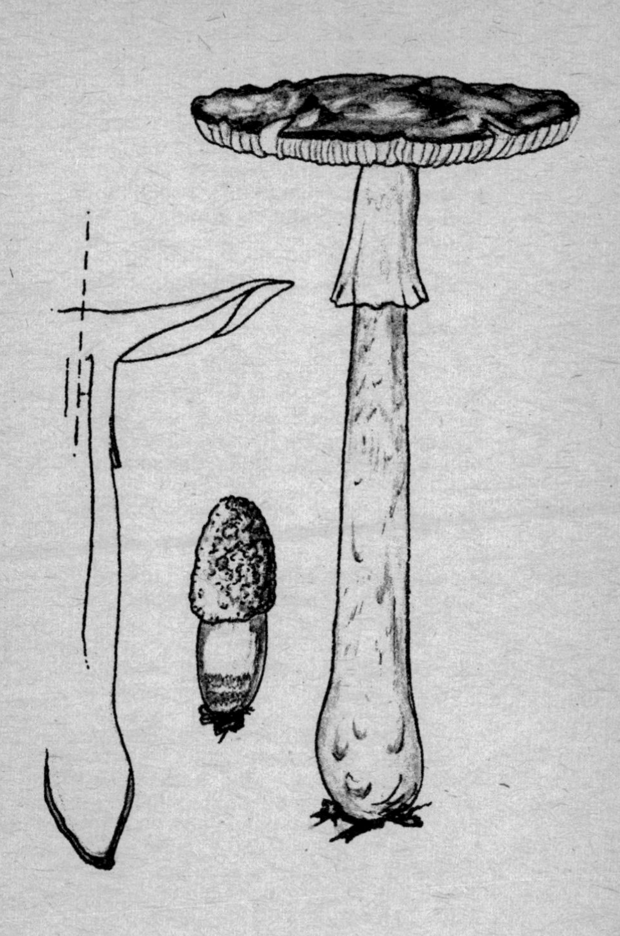

L'amanite rougissante

L'amanite printanière

amanita verna

ange de la mort

Chapeau: Lisse, d'abord oval, il s'étale de plus en plus pour devenir finalement plat et quelquefois légèrement concave. Il atteint de 5 à 8 cm de diamètre. La marge ne possède pas de stries. Il est blanc et parfois jaunâtre au centre.

Lamelles: Elles sont libres, courbées et blanches.

Spores: Blanches.

Pied: Plutôt allongé et fort. Il est la plupart du temps droit ou légèrement élargi à la base. Bulbeux et creux, il est lisse ou légèrement recouvert d'écailles. Il porte un anneau plus ou moins développé à son sommet.

Volve: Plutôt épaisse et se refermant autour de la base du pied.

Chair: Blanche, mince et ferme. Elle dégage une odeur désagréable et possède une saveur amère.

Habitat: On la rencontre quelquefois dans les bois, d'avril à octobre.

L'amanite printanière, appelée à juste titre "ange de la mort", est presque toujours *un poison mortel.* Il faut s'en méfier car elle ressemble beaucoup à la lépiote lisse et à la psalliote des prés. Elle s'en distingue toutefois par son anneau et sa volve. Il importe donc d'apprendre très tôt à reconnaître cet ennemi. Notez aussi qu'il existe une variété de cette espèce, l'amanite vireuse, laquelle ressemble en tous points à la première, sauf que son chapeau est plutôt conique. Elle est *aussi mortelle.*

L'amanite printanière

L'amanite tue-mouches

amanita muscaria

fausse oronge

Chapeau: D'abord sphérique, il s'étale et s'aplatit en vieillissant pour atteindre environ 8 à 15 cm de diamètre à maturité. De couleur rouge vif, quelquefois orange, il est recouvert d'écailles blanches que la pluie fait disparaître. La marge est striée.

Lamelles: Elles sont libres et blanches, parfois légèrement frangées de jaune.

Spores: Blanches.

Pied: Long et blanc, à base bulbeuse et creuse, il est entouré de renflements formant des cercles à sa base. Il est aussi muni d'un anneau engainant à son sommet.

Volve: Elle entoure la base du pied de renflements ou d'écailles disposés en cercles. Généralement blanche, elle peut parfois devenir légèrement jaunâtre.

Chair: Epaisse et blanche, légèrement teintée de jaune sous la membrane recouvrant le chapeau.

Habitat: On la retrouve souvent, en été et en automne, à l'orée des sous-bois ou dans les forêts clairsemées.

L'amanite tue-mouches se distingue facilement par ses couleurs vives. C'est un de nos plus beaux champignons. Il est toutefois *extrêmement vénéneux* et peut causer des malaises graves. Il faut aussi éviter de le confondre avec *l'amanite des Césars* (voir sa description) qui est comestible et délicieuse. La meilleure façon de les distinguer consiste à examiner leurs volves. Celle de l'A. des Césars est membraneuses et forme un sac autour du pied. Celle de l'A. tue-mouches est constituée de renflements disposés en cercles autour du pied. Ne vous fiez pas aux écailles sur le chapeau, car elles sont souvent absentes. Enfin, il est bien plus probable que vous rencontriez l'A. tue-mouches car celle des Césars est très rare.

L'amanite tue-mouches 

Les amanitopsis

Ces champignons constituent plutôt un sous-groupe des amanites qu'un véritable groupe distinct. Ils possèdent aussi des spores blanches, des lamelles libres, un chapeau détachable et une volve. Cependant, ils se distinguent des amanites par leur pied sans anneau. Les amanitopsis sont comestibles et délicieux. A cause de leur ressemblance avec l'amanite printanière ou phalloïde, il vaut mieux ne pas s'aventurer à en manger au début. Toutefois, leur aspect caractéristique vous permettra assez vite de les identifier avec certitude.

L'amanitopsis vaginé
amanitopsis vaginata
grisette
amanite vaginée
amanite à étui

Chapeau: D'abord oval, il s'aplatit par la suite pour atteindre environ 6 à 10 cm de diamètre. Lorsqu'il est très mûr, il peut devenir légèrement concave. On rencontre des variétés à chapeau blanchâtre ou jaunâtre et d'autres à chapeau bleuté ou grisâtre. Enfin, la marge est fortement striée.

Lamelles: Elles sont libres, blanches ou parfois légèrement grisâtres.

Spores: Blanches.

Pied: Long, mince et creux. Il n'a pas de bulbe et pas d'anneau.

Volve: Blanche, en forme de sac, remontant haut sur le pied.

Chair: Blanche et plutôt mince.

Habitat: On le retrouve à peu près partout dans les bois, en été et en automne.

L'amanitopsis vaginé est une espèce fort précieuse pour la table à cause de son goût fin. En outre, on risque peu de le confondre avec les amanites vénéneuses. Son chapeau aplati et fortement strié est facilement identifiable. Assurez-vous toujours *qu'il n'y a pas d'anneau* autour du pied.

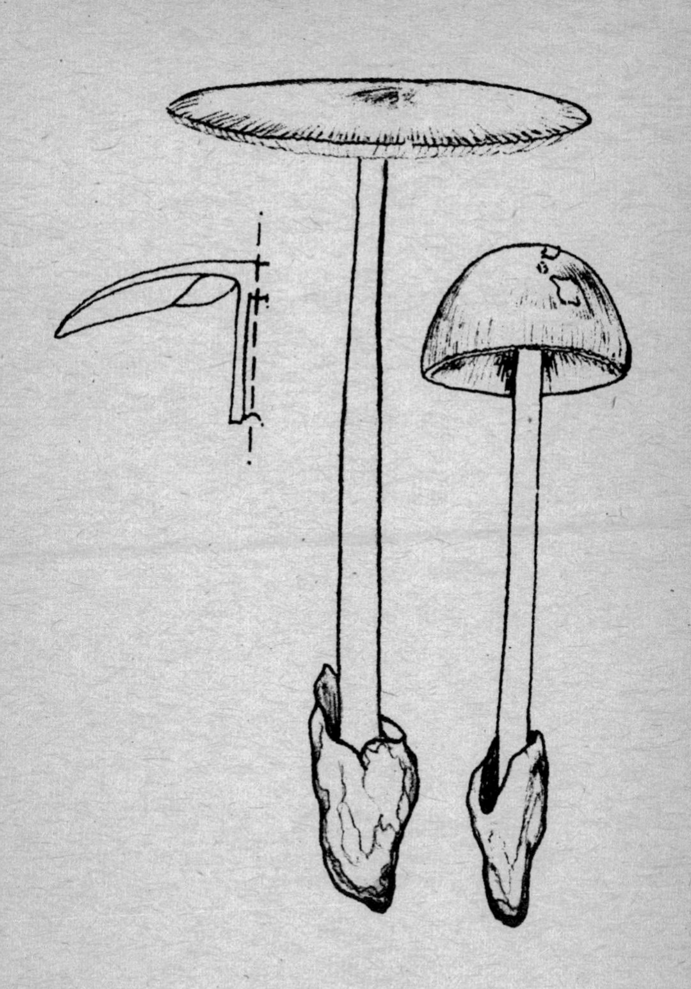

L'amanitopsis vaginé

Les russules

Ce groupe comprend plusieurs espèces facilement reconnaissables. Le chapeau est généralement large et plat, ou concave en vieillissant, à marge striée. Le pied est gros et plutôt trapu et droit. Les russules sont toutes comestibles, sauf une qui passe pour douteuse. Elle est facilement identifiable toutefois. Certains auteurs considèrent que les russules pâles, lorsqu'elles sont jeunes, peuvent être confondues avec des amanites mortelles. Par prudence, il vaut mieux, pour le débutant, *bien vérifier l'absence d'une volve et d'un anneau* avant de consommer des russules.

La russule émétique
russula emetica

Chapeau: En forme de demi-sphère, il s'étale en vieillissant et devient parfois concave. Il peut atteindre de 4 à 8 cm de diamètre. D'une belle teinte rouge cerise, il a tendance à se décolorer avec l'âge. Plutôt brillant et visqueux. On le reconnaît à son port bosselé et à sa marge striée.

Lamelles: Elles sont libres ou adnées, larges et blanches.

Spores: Blanches.

Pied: Fort, droit et blanc, parfois rougeâtre.

Volve: Inexistante.

Chair: Epaisse, blanche, rosée sous l'enveloppe du chapeau.

Habitat: On la retrouve parfois, en été et en automne, dans les bois.

La russule émétique est la seule russule quelque peu vénéneuse. Son chapeau rouge, bosselé et strié permet de la reconnaître facilement. Elle ne risque pas, enfin, d'être confondue avec d'autres espèces.

La russule émétique 

La russule verdoyante
russula virescens
palomet
bise verte

Chapeau: D'abord sphérique, il s'étale ensuite pour devenir concave. Il peut atteindre de 6 à 12 cm de diamètre. Il devient craquelé en vieillissant et prend un aspect marbré caractéristique.

Lamelles: Elles sont libres, serrées et blanches.

Spores: Blanches.

Pied: Fort, plutôt court et droit.

Volve: Inexistante.

Chair: Blanche et cassante comme de la craie.

Habitat: On la rencontre quelquefois, en été, dans les bois et les forêts mixtes.

La russule verdoyante est assez estimée pour son goût délicat. Le pied est quelquefois un peu coriace; mieux vaut le rejeter, dans ce cas, et ne garder que le chapeau. Certains auteurs français considèrent qu'elle pourrait être confondue avec certaines amanites mortelles. A notre avis, la chose est bien peu probable, mais il serait prudent de vérifier qu'elle n'a ni volve ni anneau, comme les amanites, pour plus de sécurité.

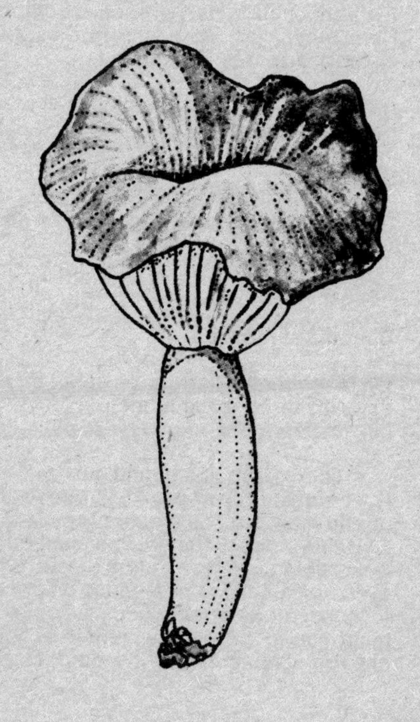

La russule verdoyante

La russule brève

russula brevipes

russule sevrée ou sans lait

Chapeau: D'abord convexe, il prend rapidement la forme caractéristique d'un entonnoir. Il atteint environ de 8 à 15 cm de diamètre. De couleur blanche ou crème, il est parfois couvert d'un très léger duvet.

Lamelles: Adnées ou décurrentes, minces et blanches, parfois verdâtres.

Spores: Blanches.

Pied: Court, très fort et blanc, parfois verdâtre vers le haut.

Volve: Inexistante.

Chair: Blanche et ferme.

Habitat: On la rencontre parfois, en été et en automne, dans les terrains sablonneux, particulièrement où pousse le pin.

Quoique moins bonne que la R. verdoyante (voir page 58), elle vaut quand même la peine qu'on la goûte. Certains auteurs français pensent qu'on pourrait la confondre, alors qu'elle est jeune, avec des amanites phalloïdes ou printanières. La chose nous semble peu probable, mais il serait prudent de vérifier qu'elle n'a ni volve ni anneau, avant de la consommer.

Les coprins

Les coprins

Ce groupe se distingue facilement par son chapeau détachable et allongé, prenant la forme d'une cloche en vieillissant. De plus, le pied, entouré d'un anneau, est creux et les lamelles se transforment en encre noire lorsqu'elles atteignent la maturité. Les coprins sont tous comestibles, souvent délicieux, et facilement identifiables par leur forme bien caractéristique. On ne risque pas non plus de les confondre avec des espèces vénéneuses. Les coprins se révèlent donc des espèces précieuses pour les débutants.

Le coprin chevelu
coprinus comatus
goutte d'encre

Chapeau: D'abord cylindrique, allongé et rabattu autour du pied, il s'écarte un peu en vieillissant et prend la forme d'une cloche d'environ 5 à 8 cm de diamètre. Entièrement blanc au départ, il se couvre ensuite d'écailles ou mèches teintées de jaune, d'ocre ou parfois même de brun.

Lamelles: Elles sont libres et serrées. Blanches au départ, elles virent ensuite au violet pour finalement se transformer en encre noire lorsque le champignon devient mûr.

Spores: Noires.

Pied: Bulbeux et creux; plutôt allongé et généralement entouré d'un anneau mobile à sa base.

Volve: Inexistante.

Chair: Blanche, parfois rosée, et mince.

Habitat: On le retrouve souvent en automne en bordure des routes, sur les pelouses et dans les prés gras.

Le coprin chevelu est un des champignons les plus faciles à reconnaître. De plus on ne risque pas de le confondre avec une espèce vénéneuse. Son parfum raffiné et sa saveur délicate en font un mets très apprécié des gourmets. Malheureusement il ne se conserve pas. Il faut consommer les coprins le plus tôt possible après les avoir cueillis, sans quoi ils se transformeront rapidement en une masse d'encre répugnante. Il est enfin préférable de les cueillir jeunes, avant que les lamelles ne virent au noir.

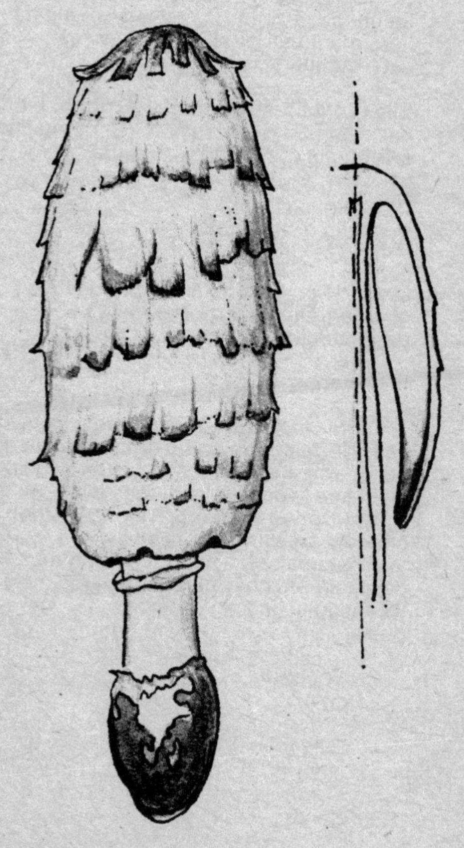

Le coprin chevelu

Le coprin noir d'encre
coprinus atramentarius

Chapeau: D'abord oval, il s'étale par la suite pour atteindre de 6 à 8 cm de diamètre. Le chapeau gris-brun est généralement lisse et creusé de sillons. La marge est irrégulièrement dentelée.

Lamelles: Elles sont libres et serrées. D'abord blanches, elles virent ensuite au noir et se transforment en encre à maturité.

Spores: Noires.

Chair: Blanche et mince.

Pied: Droit, de couleur blanche ou grisâtre, et creux. On retrouve un anneau rudimentaire à la base du pied.

Volve: Inexistante.

Bien moins savoureux que le coprin chevelu, le coprin noir d'encre croît souvent dans le même habitat que celui-ci. Il faut de même le cueillir très jeune avant qu'il ne se transforme en encre. De plus, selon certains auteurs, la consommation d'alcool avec ce champignon peut provoquer des malaises chez certaines personnes. Il vaut donc mieux l'éviter.

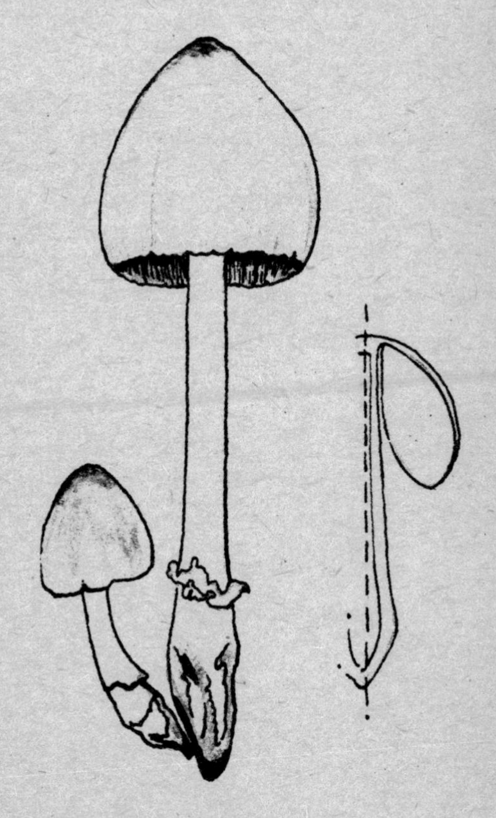

Le coprin noir d'encre

Les armillaires

Ce groupe comprend plusieurs espèces à spores blanches. Leur taille varie de petite à très grande. Le pied est généralement fort et renflé à la base ou au centre, tandis que les lamelles sont décurrentes ou adnées. Les armillaires sont comestibles et parfois très savoureuses. De plus, on ne risque pas de les confondre avec des espèces vénéneuses. Leur grande taille et leur bon goût les rendent très intéressantes pour les débutants.

L'armillaire
tête de méduse
armillaria mellea

Très fréquente en forêt, en automne, on la retrouve un peu partout sur les souches ou à la base d'arbres faibles. Sa saveur amère n'a à peu près pas de valeur pour la table et ne mérite guère qu'on lui porte quelque attention. L'armillaire ventrue que nous verrons plus loin est de loin bien plus savoureuse.

L'armillaire tête de méduse

L'armillaire ventrue
armillaria ventricosa

Chapeau: D'abord ové, il s'étale par la suite et s'aplatit sur le dessus. De dimensions énormes, il peut même atteindre près de 40 cm de diamètre. De couleur généralement crème, il vire parfois au gris argenté.

Lamelles: Blanches, serrées et décurrentes, elles retombent bas sur le pied.

Spores: Blanches.

Pied: Très gros et fort, droit ou ventru (d'où son nom). De la même couleur que le chapeau, il se termine en cône à sa base. Il est, en outre, muni d'un anneau double, de couleur blanche.

Volve: Inexistante.

Chair: Blanche, épaisse et ferme.

Habitat: On la trouve, plus ou moins souvent, sous les conifères en automne.

L'armillaire ventrue est l'un de nos plus gros champignons. Son goût est, en outre, très bon et un seul spécimen peut nourrir toute une famille. D'autre part, on ne risque pas de la confondre avec des espèces vénéneuses. La seule confusion possible pourrait provenir de l'armillaire impériale qui lui ressemble beaucoup et atteint les mêmes dimensions. On distingue cette dernière toutefois par sa couleur brunâtre, son chapeau légèrement écailleux et son pied plus délicat. L'A. impériale est comestible, mais possède un goût peu agréable.

Les chanterelles

Les chanterelles

Ce groupe, facile à reconnaître, se distingue par ses lamelles décurrentes et ramifiées. Les lamelles ont plutôt l'apparence d'arêtes ou de plis que l'allure de véritables lamelles. Elles possèdent un chapeau dont la forme, à l'âge adulte, s'apparente plus ou moins à celle d'un entonnoir. De plus, le chapeau n'est pas détachable et constitue le prolongement du pied.

Les chanterelles sont toutes comestibles et souvent excellentes. En outre, on ne risque à peu près pas de les confondre avec des espèces vénéneuses. Les débutants peuvent donc les cueillir et s'en délecter sans danger.

La chanterelle ciboire
cantharellus cibarius
girolle

Chapeau: D'abord en demi-sphère, il s'étale et devient rapidement concave atteignant de 2 à 6 cm. De couleur jaune pâle ou un peu plus foncé. La marge s'enroule un peu sur elle-même et forme des ondulations plus ou moins prononcées.

Lamelles: Décurrentes, ramifiées et jaunes. Elles ressemblent plus à des arêtes qu'à des lamelles.

Spores: Jaune très pâle.

Pied: Jaune lisse en forme de cône inversé.

Volve: Inexistante.

Chair: Jaune ou blanchâtre, ferme et mince.

Habitat: On la rencontre souvent, en été et en automne, dans les bois et forêts de conifères.

La chanterelle ciboire est extrêmement facile à identifier et pousse en abondance. Elle ne comporte, en outre, aucun risque de méprise avec des espèces vénéneuses. De plus, c'est l'un des rares champignons qui se puisse consommer cru, sans danger. A conseiller aux débutants.

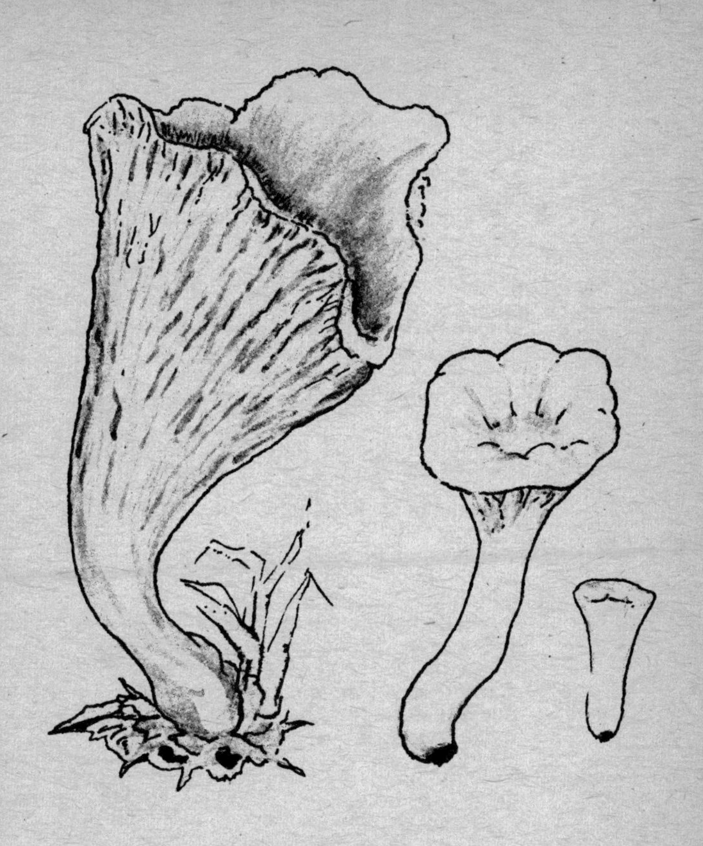

La chanterelle ciboire

La chanterelle floconneuse
cantharellus floccosus

Chapeau: En forme de cornet inversé atteignant de 5 à 13 cm de diamètre. De couleur jaune orange, il est recouvert à l'intérieur d'écailles que la pluie peut faire disparaître. La marge s'ondule en vieillissant.

Lamelles: Décurrentes, ramifiées et très fines. Elles descendent bas sur le pied.

Spores: Ocre.

Pied: Court et droit. Jaune, mais parfois blanc à la base.

Volve: Inexistante.

Chair: Blanche et plutôt épaisse.

Habitat: On la rencontre quelquefois, en été et en automne, dans les bois mixtes.

Bien que nettement plus rare que la C. ciboire, la chanterelle floconneuse n'en constitue pas moins une perle des bois. Savoureuse et facilement identifiable, elle fera le bonheur de l'amateur qui la découvre.

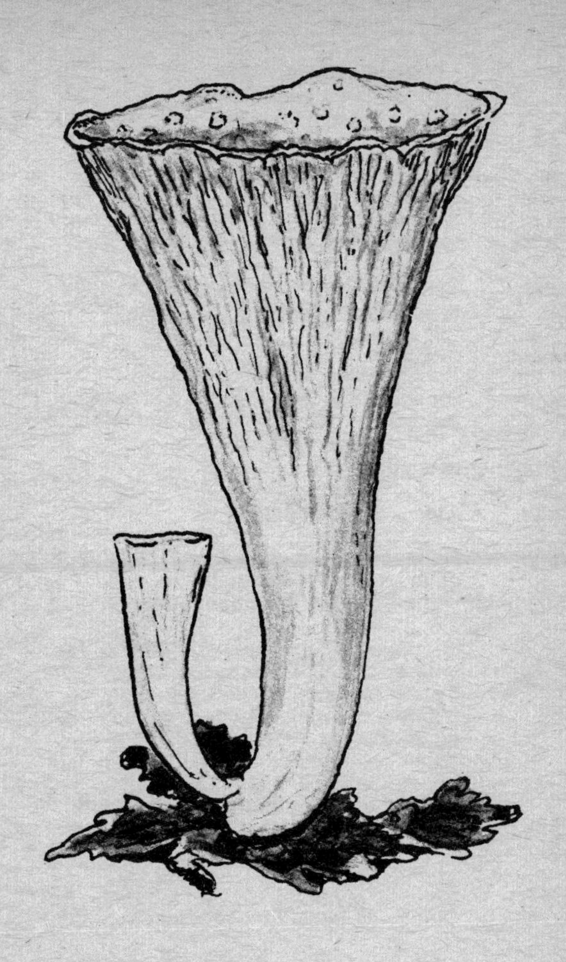

La chanterelle floconneuse

La chanterelle orangée

cantharellus aurantiacus

fausse girolle

Chapeau:	D'abord convexe, il devient rapidement concave en vieillissant. De couleur plus orangée que la C. ciboire. La marge s'enroule sur elle-même puis devient ondulée.
Lamelles:	Décurrentes, ramifiées et orange foncé, ou parfois brunâtre. Minces et fourchues.
Spores:	Blanches
Pied:	Droit, court et un peu renflé à la base. De couleur jaune orange ou orange franc.
Volve:	Inexistante.
Chair:	Jaune, mince et molle.
Habitat:	On la rencontre fréquemment dans les bois et forêts en été et en automne, en particulier près des souches.

Les opinions sont partagées sur la valeur comestible de la chanterelle orangée. Certains la préfère à la C. ciboire; d'autres la dédaignent. La meilleure façon de trancher la question revient à y goûter soi-même. Facile à reconnaître, bien que beaucoup de gens la confondent avec la C. ciboire, elle est sûre et abondante.

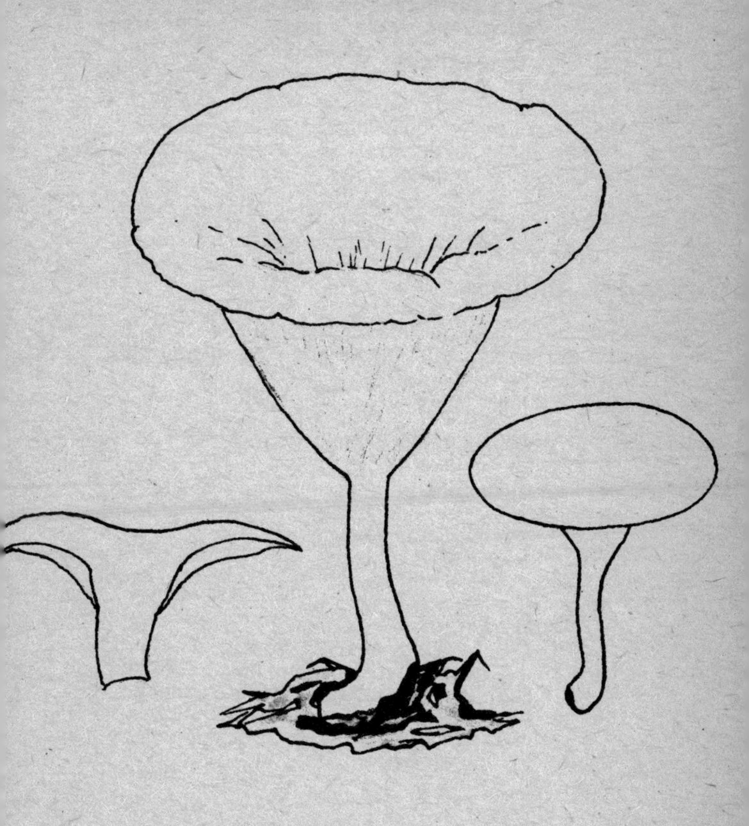

La chanterelle orangée

Les craterelles

Ce groupe ressemble beaucoup aux chanterelles, sauf qu'il ne possède pas de lamelles. Les craterelles adoptent très tôt la forme caractéristique d'une trompette ou d'une corne. Les espèces que renferme ce groupe sont comestibles et faciles à reconnaître. On ne risque pas non plus de les confondre avec des espèces vénéneuses. A recommander vivement aux débutants.

La craterelle corne d'abondance
craterellus cornucopioides
trompette de la mort

Il s'agit d'un champignon assez original, pouvant atteindre de 3 à 5 cm de diamètre. Il ressemble à une corne d'abondance (d'où son nom) au rebord craquelé et un peu replié vers l'extérieur. De couleur noire, brun noir ou charcoal, il se reconnaît facilement. La chair grise et très mince se mange comme des épinards. Il est intéressant de la cueillir car son goût est franchement bon, quoique sa couleur noire éloigne l'amateur non averti. On la rencontre quelquefois, en été et en automne, dans les bois d'arbres feuillus.

La craterelle corne d’abondance

Les pholiotes

Ce groupe comprend plusieurs espèces croissant sur des troncs d'arbres morts ou vivants. Quelques-unes cependant croissent à même le sol. Les pholiotes ont des spores brun-ocre, des lamelles adnées ou sinuées et un anneau. Le pied et le chapeau sont parfois visqueux ou écailleux. Les pholiotes sont comestibles et parfois succulentes. Certaines espèces, toutefois, telles que la pholiote précoce, ressemblent souvent aux amanites mortelles. Il faut donc toujours bien vérifier *l'absence de la volve* et la couleur brune des spores avant de consommer des pholiotes. Pour cette raison, le débutant devrait s'abstenir de consommer des pholiotes avant d'avoir acquis une certaine expérience.

La pholiote précoce
pholiota praecox

Chapeau: D'abord sphérique, il s'aplatit par la suite pour devenir finalement plan. Il est très mou, blanc ou légèrement jaunâtre.

Lamelles: Elles sont émarginées ou adnées. Blanches au départ, elles virent ensuite au gris puis au brun ocré.

Spores: Brunes.

Pied: Long, droit ou légèrement renflé à la base. De couleur blanche, il est muni d'un anneau engainant (parfois très réduit) à son sommet.

Volve: Inexistante.

Chair: Blanche, épaisse et molle. Elle dégage une odeur caractéristique de farine.

Habitat: On la trouve souvent, au printemps et en été, sur les pelouses et dans les prés, et le long des routes.

La pholiote précoce, peu connue mais délicieuse, devient de plus en plus populaire. Il faut se méfier d'une espèce voisine, la pholiote dura, dont le chapeau est plus épais, plus rigide et le pied plus fort. Cette espèce passe pour douteuse et a, de toute façon, mauvais goût.

D'autre part, il faut toujours bien vérifier que la pholiote *ne possède pas* de volve. Une méprise avec les amanites blanches *munies d'une volve* est souvent possible.

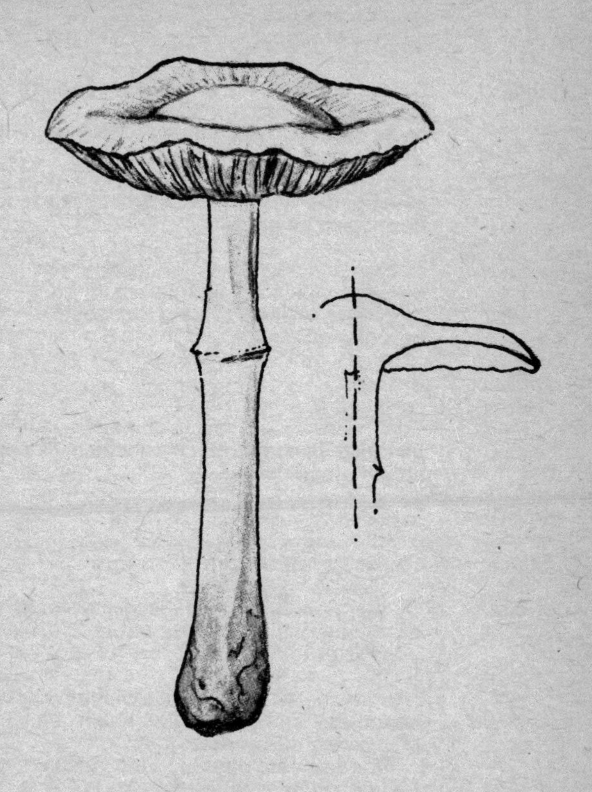

La pholiote précoce

La pholiote ridée
pholiota caperata

Chapeau: Ové au départ, il s'étale un peu par la suite et prend la forme d'une cloche de 6 à 9 cm de diamètre. D'abord jaune pâle, il devient orange, puis ocre à la fin. Le centre du chapeau est recouvert d'une poudre blanche qui s'efface lentement sous l'action des pluies. La marge est ourlée.

Lamelles: Jaunes très pâle au départ, elles virent ensuite au jaune orangé puis à l'ocre. Elles sont serrées, adnées au début puis émarginées.

Spores: Brunes.

Pied: Fort, droit et plutôt blanc ou parfois jaune très pâle. Il est muni d'un anneau et sa partie supérieure est ridée.

Volve: Inexistante.

Chair: Epaisse, blanche et assez ferme.

Habitat: On la trouve à peu près partout au Québec en automne. Elle affectionne particulièrement les bois et sous-bois.

La pholiote ridée est la plus savoureuse de toutes les pholiotes. Elle risque, en outre, bien moins que la précédente d'être confondue avec des amanites. Assurez-vous toujours cependant qu'il n'y ait pas de volve à la base du pied. Son chapeau ondulé et ridé permet aussi de la distinguer.

Les volvaires

Les volvaires

Ce petit groupe, apparenté aux amanites, ne comporte que peu d'espèces intéressantes. Nous n'en retiendrons qu'une dont le goût est vraiment remarquable. Comme elle peut parfois être confondue avec certaines amanites mortelles, il faut la cueillir avec prudence. Cependant, comme nous le verrons plus loin, il demeure assez facile de distinguer la volvaire des amanites. Les débutants devraient quand même l'éviter au tout début, par prudence.

La volvaire soyeuse
volvaria bombycina

Chapeau: D'abord ové, il s'étale ensuite et s'aplatit sur le dessus. Il atteint généralement de 6 à 18 cm de diamètre. De couleur blanche ou crème, il est soyeux ou velu.

Lamelles: Elles sont libres, serrées et courbées vers le bas. De couleur rose, elles ont un rebord échancré.

Spores: Roses.

Pied: Plutôt court, fort et plein. De couleur blanche, il est, la plupart du temps, recourbé.

Volve: Elle est membraneuse, blanche ou parfois brune. Elle enveloppe la base du pied.

Habitat: On la trouve quelquefois, en été et en automne, sur les troncs d'arbres pourris.

La volvaire soyeuse est un très beau champignon et possède, de plus, un goût très fin. Elle ressemble assez aux amanites toxiques, mais elle s'en distingue par *l'absence d'un anneau,* son pied recourbé et ses spores roses. De plus, elle pousse sur les troncs d'arbres debout ou couchés, tandis que l'amanite croît sur le sol. Ce caractère permet, presque à lui seul, de la distinguer. Les risques de méprise sont donc assez faibles.

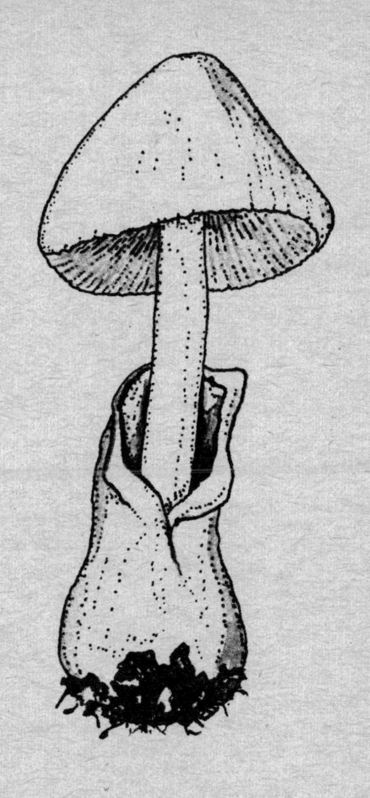

La volvaire soyeuse

Les psalliotes

Ce groupe comprend de nombreuses espèces, dont une cultivée commercialement. On les reconnaît par leurs spores brun-pourpre, leur anneau (parfois double) et leur chapeau détachable. Le chapeau est, la plupart du temps, blanchâtre et souvent couvert de fibres ou d'écailles brunâtres. Le pied est plutôt fort et court.

Toutes les psalliotes sont comestibles et beaucoup sont délicieuses. Toutefois, il y a des gens qui semblent être allergiques à certaines espèces que, pour éviter tout danger, nous laisserons de côté. De plus, certaines psalliotes peuvent être confondues avec des amanites mortelles par l'amateur inexpérimenté. Il faut donc user de la plus grande prudence lorsque l'on cueille des psalliotes. Il serait plus sage pour les débutants de les éviter. Rappelons cependant, pour ceux qui sont un peu plus avancés, que les psalliotes n'ont pas de volve et que leurs spores sont brun-pourpre, contrairement aux amanites à volve et spores blanches.

La psalliote des bois
psalliota silvicola

Chapeau: D'abord en demi-sphère, il s'étale par la suite pour devenir plat. Il atteint de 6 à 16 cm de diamètre. De couleur blanc crème et soyeux, il se teinte de jaune pâle lorsqu'il est meurtri.

Lamelles: Elles sont libres et serrées. Roses au départ, elles virent ensuite au brun foncé, à maturité.

Spores: Brunes.

Chair: Plutôt mince et blanc crème. Elle vire au jaune lorsqu'on la casse.

Pied: Généralement droit et long et légèrement bulbeux à la base. De couleur crème, il est entouré d'un anneau double, parfois rudimentaire.

Volve: Inexistante.

Ce délicieux champignon ressemble beaucoup à la P. des jachères, sauf qu'il croît dans les bois, surtout près des pins, en automne. Certaines personnes toutefois se sont plaintes de légers malaises après avoir consommé ce champignon.

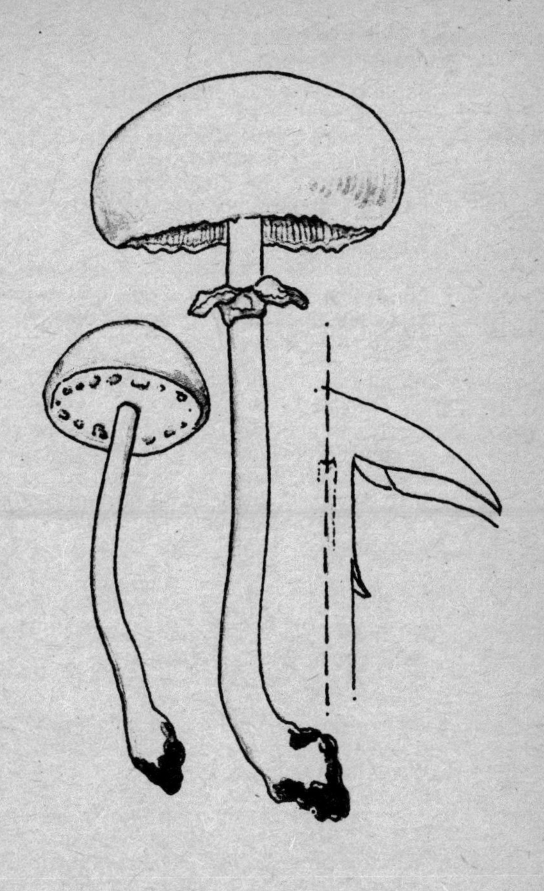

La psalliote des bois

La psalliote des jachères
psalliota arvensis
boule de neige, muscat (pratelle)

Chapeau: D'abord sphérique, il s'étale un peu par la suite pour atteindre de 8 à 20 cm de diamètre. Blanc ou quelque peu jaunâtre, il est quelquefois parsemé d'écailles. La marge a tendance à se fendiller en vieillissant.

Lamelles: Libres, serrées et plutôt larges. D'abord blanches, elles virent ensuite au rose puis au brun foncé.

Spores: Brunes.

Pied: Court, fort et blanc, parfois légèrement jaunâtre. Il est plein mais devient quelque peu creux en vieillissant. Il est en outre muni d'un anneau double à sa partie supérieure. La base du pied est enfin légèrement bulbeuse.

Volve: Inexistante.

Chair: Blanche, épaisse, elle devient jaune lorsqu'on la casse. Elle dégage une bonne odeur assez prononcée.

Habitat: On la rencontre quelquefois, à la fin de l'été ou en automne, dans les prés, les clairières et sur les pelouses.

De l'avis des connaisseurs, la psalliote des jachères est encore meilleure que la P. des prés. Bien qu'elle soit plus rare, il vaut la peine de la rechercher. Attention de ne pas la confondre toutefois avec une amanite blanche (printanière-phalloïde). Vérifiez toujours la présence de l'anneau double et *l'absence de volve.*

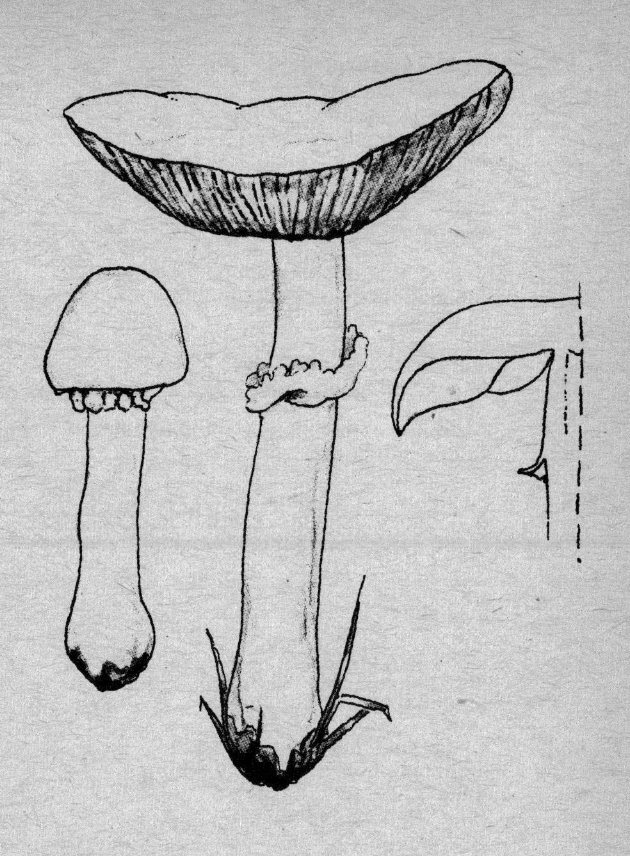

La psalliote des jachères

La psalliote des prés
psalliota campestris
agaric champêtre
champignon de couche
pratelle

Chapeau: D'abord sphérique, il s'étale ensuite pour devenir presque plat à maturité. Il peut atteindre de 8 à 15 cm de diamètre. Blanc ou parfois légèrement bronzé, il se couvre quelquefois d'écailles brunâtres en vieillissant.

Lamelles: Serrées, courbées et roses tournant au pourpre foncé, à maturité.

Spores: Pourpres, parfois noires, selon certains auteurs européens.

Pied: Plein, fort et de longueur moyenne. De couleur blanche, il est parfois légèrement renflé à la base. Il est toujours muni d'un anneau frangé.

Volve: Inexistante.

Chair: Blanche tournant parfois au rose lorsqu'on la casse. Elle est épaisse et ferme et agréablement parfumée.

Habitat: On la rencontre souvent, en été et en automne, sur les pelouses, dans les prés, les clairières et en bordure des routes.

La psalliote des prés est, présentement, le champignon le plus populaire. Il est en outre cultivé commercialement, particulièrement pour la conserve. Son goût délicieux est déjà connu de tous. Attention toutefois de ne pas la confondre avec une amanite printanière ou phalloïde (voir leur description), lesquelles sont des poisons mortels La psalliote en diffère par ses lamelles roses, ses spores pourpres et *surtout par l'absence de volve* à la base du pied.

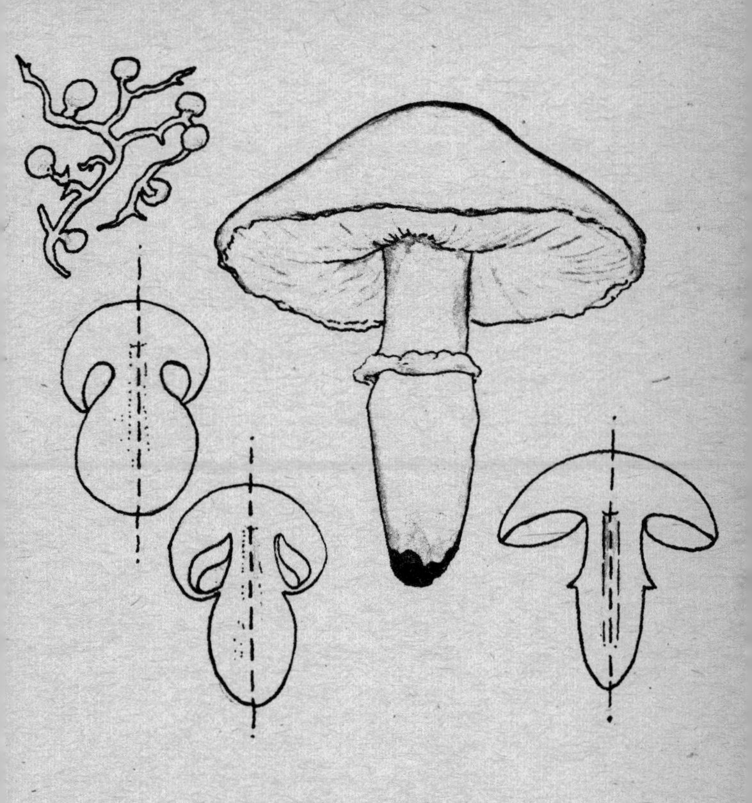

La psalliote des prés

Les lépiotes

Ce groupe de champignons se caractérise par son chapeau, la plupart du temps parsemé d'écailles et détachable, et son anneau souvent mobile. Les spores sont blanches et les lamelles sont libres.

Les lépiotes sont presque toutes comestibles et délicieuses. Elles ressemblent parfois beaucoup à certaines amanites mortelles et provoquent souvent des confusions. On les distingue des amanites par la volve qui existe chez celles-ci mais n'existe pas chez les lépiotes. De plus, la lépiote de Morgan, considérée vénéneuse, ne se distingue souvent des autres lépiotes que par ses *spores vertes* plutôt que blanches.

Pour ces raisons, le débutant a tout intérêt à s'abstenir de consommer des lépiotes au début. Les risques de méprise sont nombreux et il vaut mieux acquérir quelque expérience avant de consommer des lépiotes.

La lépiote américaine
lepiota americana

Chapeau: D'abord ové, il s'étale graduellement pour devenir presque plat. Il atteint de 3 à 10 cm de diamètre. De couleur brun-rouge, il est couvert de grosses écailles de même couleur, sauf le centre qui demeure lisse. La marge est quelque peu striée.

Lamelles: Libres, serrées, blanches et courbées vers le bas.

Spores: Blanches.

Pied: Plutôt long et creux. Il est renflé à la base, ou vers le milieu. Blanc au départ, il vire ensuite au roux ou au brun. Il est muni d'un anneau blanc et ample.

Volve: Inexistante.

Chair: Mince et blanche, elle devient rouge lorsqu'on la casse.

Habitat: On la retrouve quelquefois, en été, près des souches et dans les prés.

La lépiote américaine est une espèce précieuse pour la table. Elle ne risque pas tellement d'être confondue avec des espèces vénéneuses, sauf peut-être la lépiote de Morgan que nous verrons plus loin et que nous apprendrons à différencier. Son pied renflé suffit généralement à la distinguer.

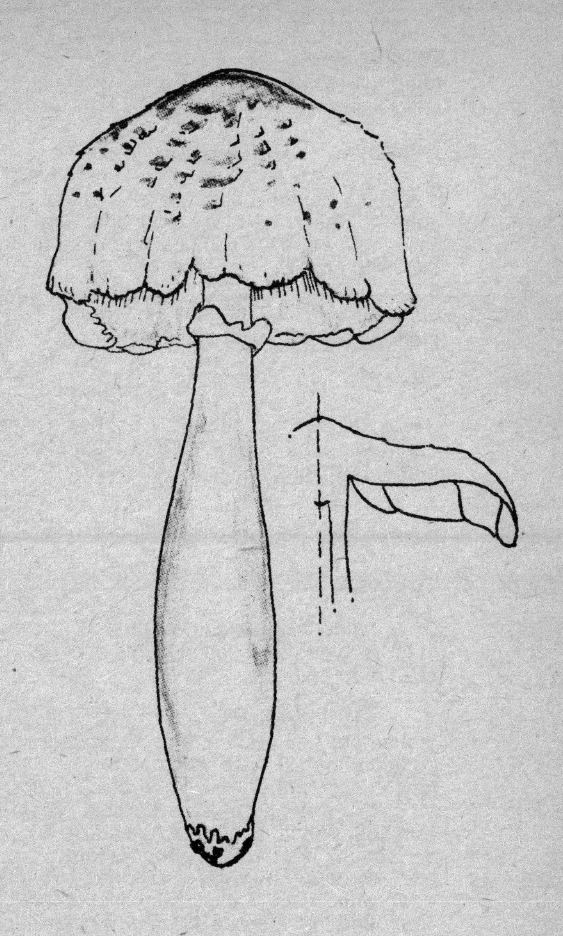

La lépiote américaine

La lépiote élevée
lepiota procera
coulemelle

Chapeau: D'abord ové, il s'étale par la suite pour devenir presque plan. Il est recouvert d'écailles brunes disposées en cercles autour du centre. Notez que la chair blanche est visible entre les écailles. Il peut atteindre de 7 à 16 cm de circonférence.

Lamelles: Elles sont libres, blanches au départ, puis virent au rose en vieillissant.

Spores: Blanches.

Pied: Creux, droit et très allongé. Il est très coriace et fortement bulbeux à la base. Il est blanc, tacheté de brun. Il est, en outre, muni d'un anneau mobile.

Volve: Inexistante.

Chair: Epaisse et blanche.

Habitat: On la rencontre quelquefois en été et en automne dans les prés, les champs et à l'orée des sous-bois.

La lépiote élevée se reconnaît facilement à sa grande taille. On risque peu de la confondre avec les amanites, tant elle est haute. Assurez-vous toutefois qu'il n'y a pas de volve, pour plus de sécurité. Son goût délicat et son parfum suave en font un mets précieux pour la table. Le pied, cependant, est trop coriace pour être consommé. Seul le chapeau est vraiment bon. Il se dégage d'ailleurs du pied par une simple pression du pouce.

L'amanite printanière

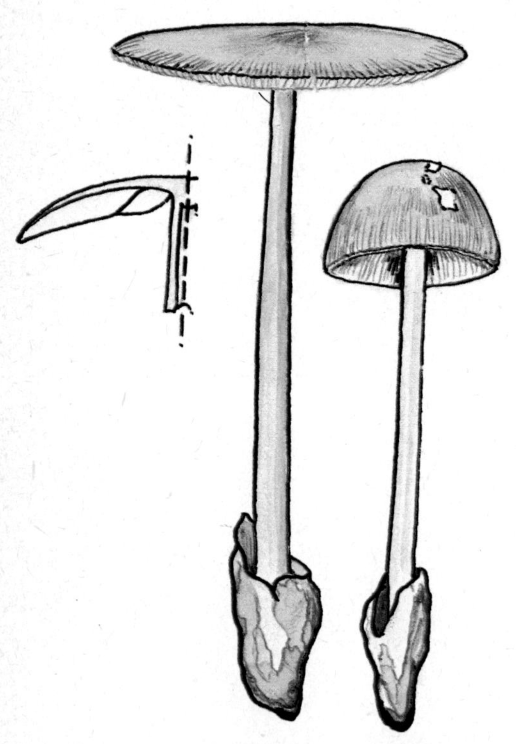

L'amanitopsis vaginé

L'amanite tue-mouches

L’amanite phalloïde

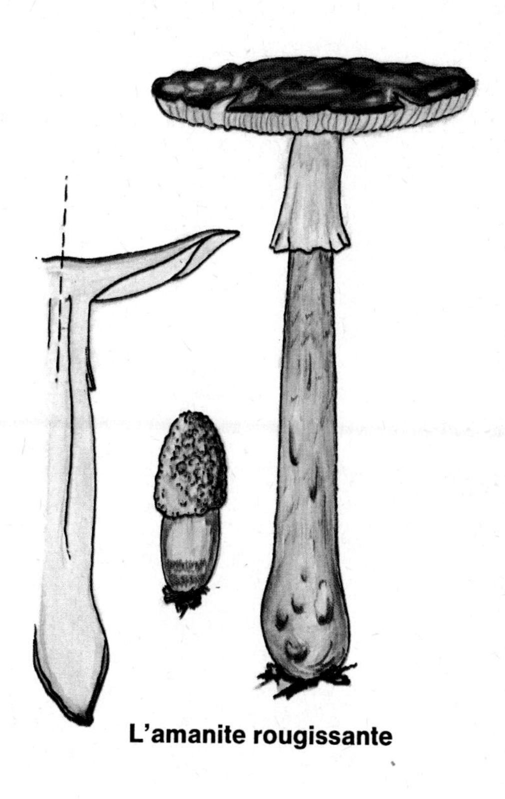

L'amanite rougissante

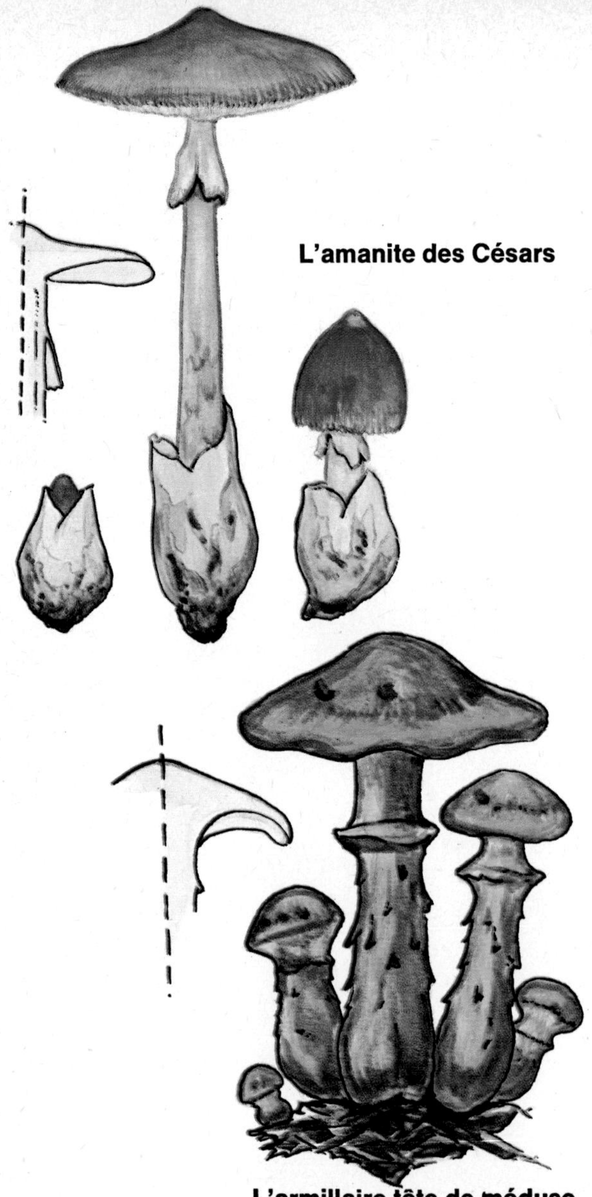

VI

Le bolet amer

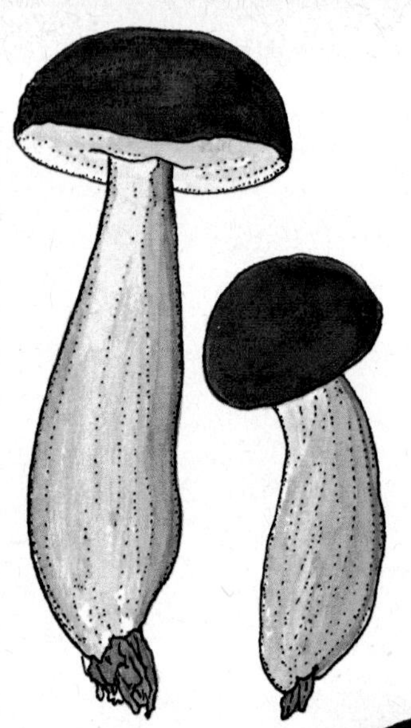

Le bolet baie

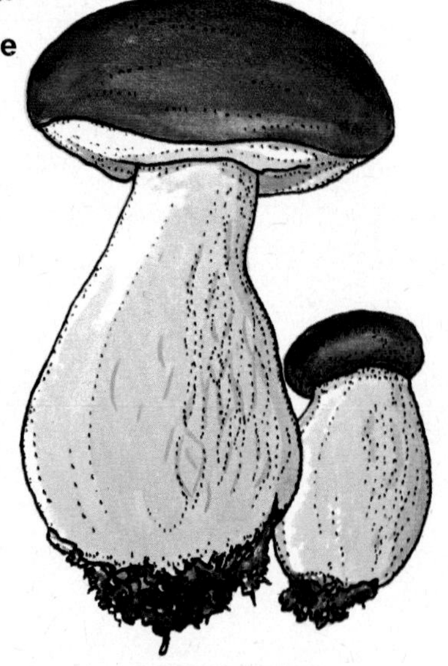

Le bolet cèpe

Le bolet granuleux

Le bolet indigo

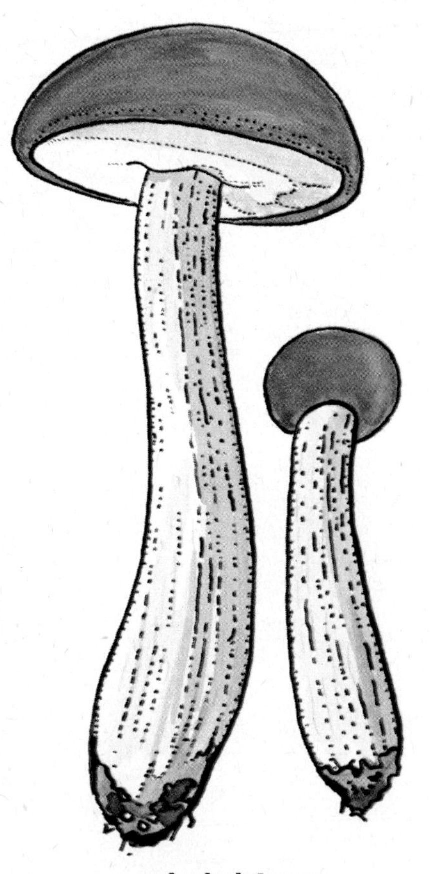

Le bolet roux

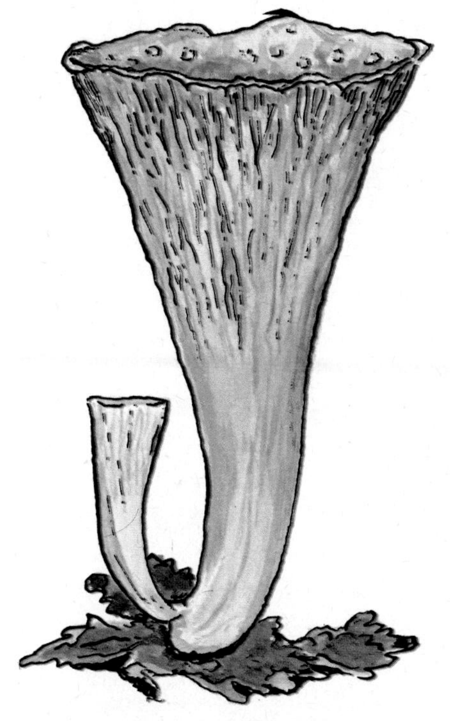

La chanterelle floconneuse

La chanterelle ciboire

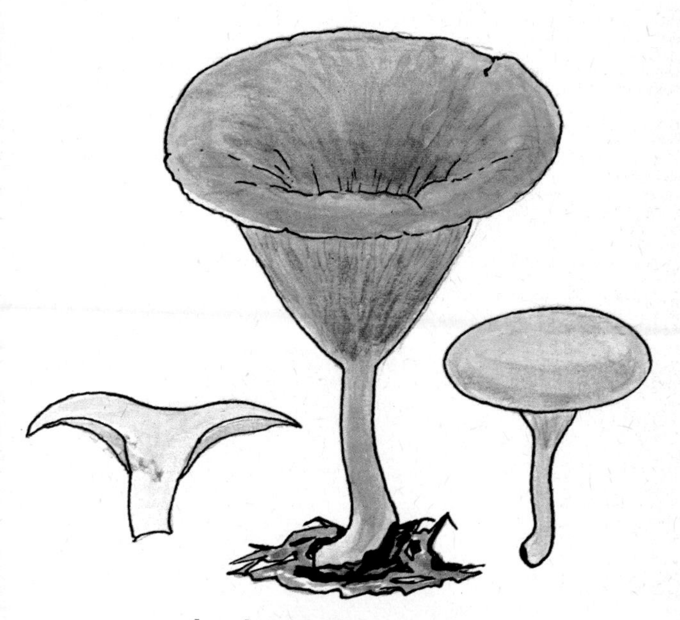

La chanterelle orangée

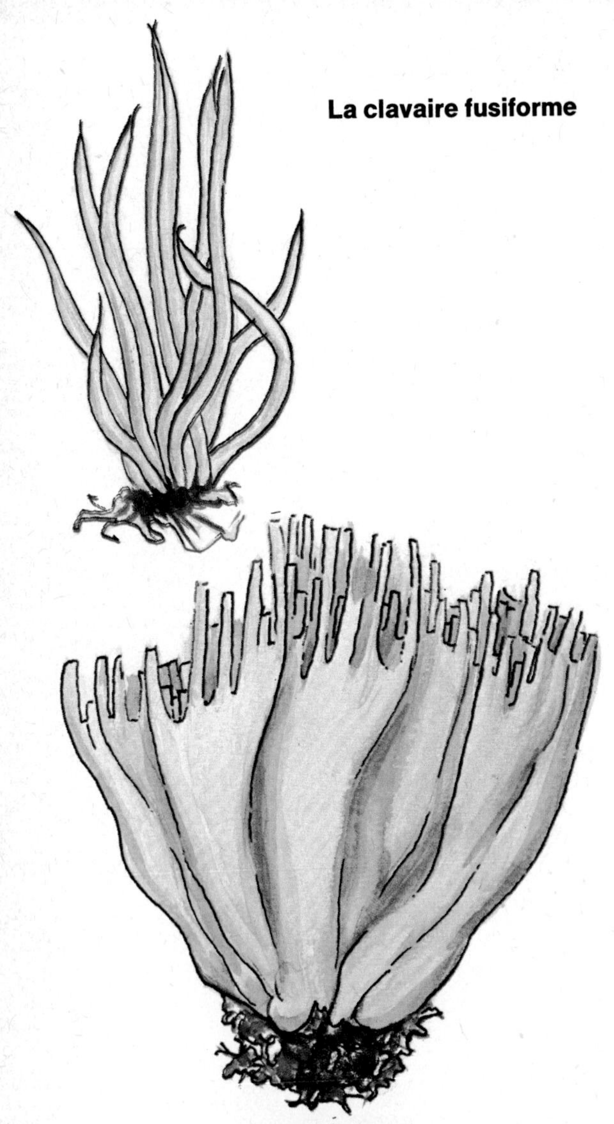

La clavaire fusiforme

La clavaire jaune

Le clitocybe morbifère

La craterelle corne d'abondance

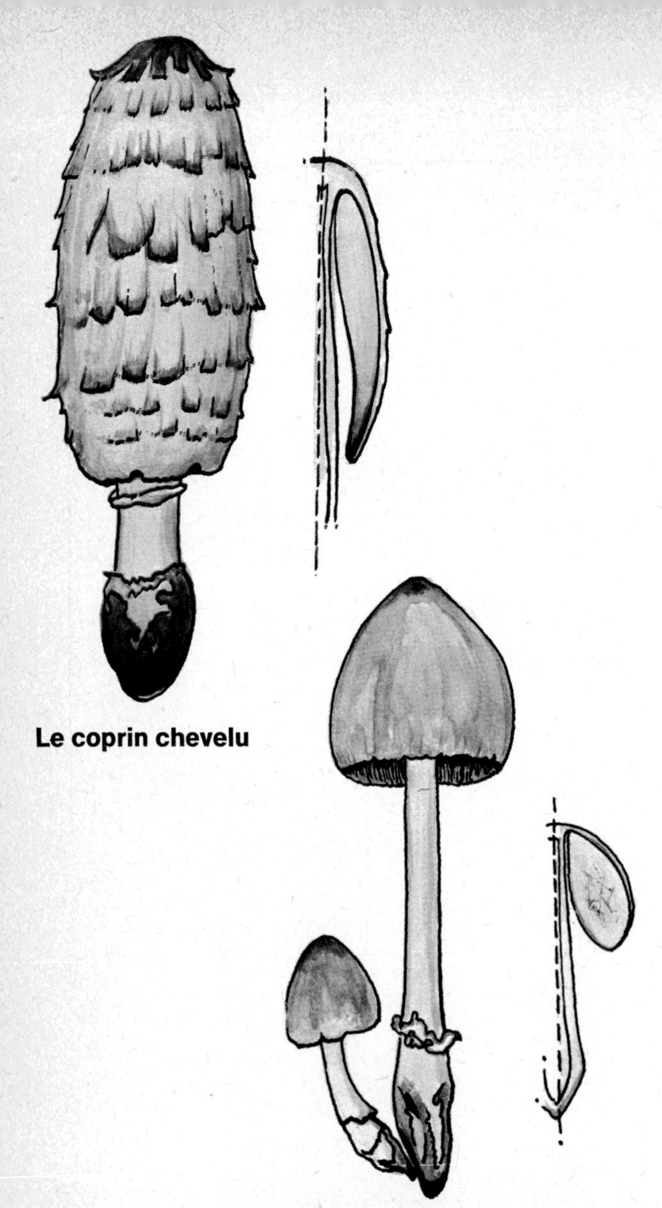

Le coprin chevelu

Le coprin noir d'encre

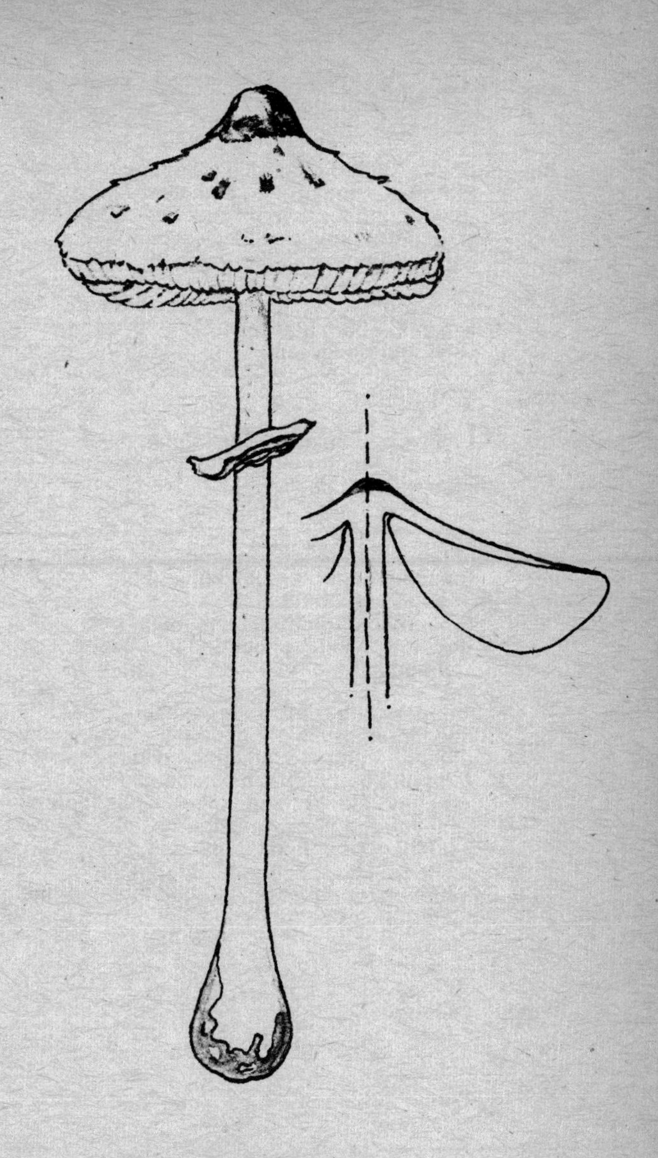

La lépiote élevée

La lépiote de Morgan
lepiota morgani

Chapeau: D'abord sphérique, il s'étale et devient plutôt plat, atteignant de 8 à 18 cm de diamètre. La peau qui recouvre le chapeau se fendille en écailles brunâtres. Seul le centre du chapeau en demeure exempt.

Lamelles: Elles sont libres, larges et courbées vers le bas. D'abord blanches, elles deviennent vertes en vieillissant.

Spores: Vert grisâtre.

Pied: Plein, blanc ou gris pâle, il s'élargit vers le bas. Il est fibreux et muni d'un anneau mobile plutôt épais.

Volve: Inexistante.

Chalr: Blanche, ferme et plutôt épaisse.

Habitat: On la rencontre en de rares occasions dans les prés, les champs et les bois clairsemés.

Moyennement vénéneuse, la lépiote de Morgan cause des malaises plus ou moins graves. Il ne faut donc pas en consommer. Pour être certains de ne pas la confondre avec la L. élevée, rappelons que ses spores sont vertes tandis que celles de la L. élevée sont blanches. De plus, son pied est plein à l'inverse de la L. élevée. Elle est heureusement rare, mais il faut quand même y prendre garde.

La lépiote de Morgan

La lépiote pudique ou lisse

lepiota naucina

Chapeau: D'abord ové, il s'étale bientôt. Généralement blanc, il devient quelquefois gris ou brun très pâle. Il est lisse et peu atteindre de 4 à 8 cm de diamètre.

Lamelles: Elles sont libres et serrées. Blanches au départ, elles virent ensuite au rose ou au brun clair.

Spores: Blanches.

Pied: Creux, long et mince, il est droit ou élargi vers le bas. Il a une texture moirée et est muni d'un anneau la plupart du temps mobile.

Volve: Inexistante.

Chair: Elle est blanche et épaisse.

Habitat: On la trouve souvent, en automne, après de longues périodes de pluie. Elle affectionne surtout les prés et les pelouses.

La lépiote pudique ou lisse possède une saveur exquise et un parfum délicat incomparables. Malheureusement elle ressemble beaucoup à *l'amanite phalloïde ou printanière* lesquelles sont des *poisons mortels*. En fait, les risques de confusion sont si grands qu'il est préférable de ne pas prendre de risques lorsque l'on est inexpérimenté. L'absence de volve chez la lépiote pudique ou lisse permet de la différencier des amanites mortelles.

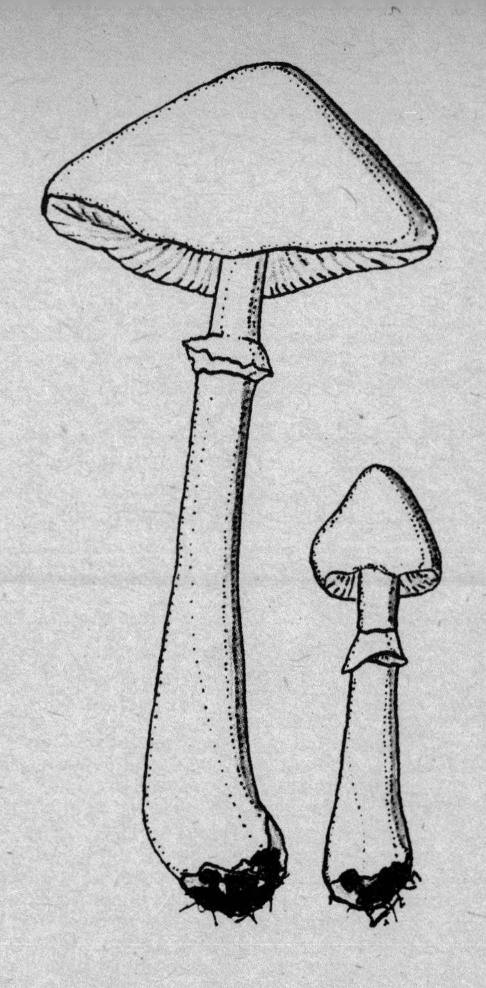

La lépiote pudique ou lisse

Les lactaires

Ce groupe renferme plusieurs espèces qui
se reconnaissent facilement au liquide laiteux
qu'elles contiennent. Le chapeau prend,
avec l'âge, la forme caractéristique
d'un entonnoir. Le pied est généralement
droit et fort et les lamelles sont décurrentes
ou, parfois, adnées. La plupart des lactaires
sont vénéneux ou de goût médiocre.
Une seule espèce comestible, très facile
à différencier des espèces vénéneuses,
a retenu notre attention. Elle est délicieuse
et convient bien aux débutants.

Le lactaire délicieux
lactarius deliciosus
vache rouge

Chapeau: D'abord convexe, il se déplie pour devenir ensuite concave. Il prend alors sa forme caractéristique d'entonnoir. Il est plutôt visqueux et se couvre de taches vert grisâtre en vieillissant. Le chapeau peut atteindre de 4 à 10 cm de diamètre. La marge devient quelquefois légèrement ondulée. Sa couleur orange carotte plus ou moins accentuée permet de le reconnaître.

Lamelles: Elles sont décurrentes ou adnées, serrées et de même couleur que le chapeau.

Spores: Jaunes.

Pied: Orange et droit, tacheté de vert-de-gris. Il peut être creux ou plein.

Volve: Inexistante.

Chair: D'abord blanche, elle vire ensuite à l'orange.

Habitat: On le trouve souvent, en été et en automne, à l'orée des bois ou surtout sous les conifères.

Malgré son nom alléchant, le lactaire délicieux n'est pas si délicieux qu'il veut bien le laisser croire. Il vaut toutefois la peine qu'on l'essaie. Il est, en outre, facile à reconnaître et abondant. Il produit, de plus, en abondance un lait orangé ou rouge qui permet de le différencier de certains lactaires vénéneux à lait blanc ou jaune pâle. Enfin, les L. délicieux à lait rouge sont bien meilleurs que ceux à lait orange. Mais ils sont très rares.

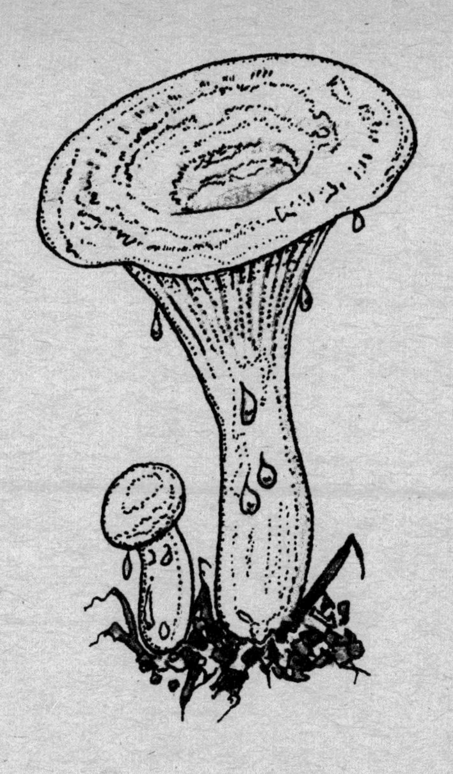

Le lactaire délicieux

Les pleurotes

Ce groupe se reconnaît surtout par son pied absent ou attaché latéralement au chapeau. De plus les pleurotes croissent sur les arbres morts. Bien que comestibles, ils sont souvent coriaces et insipides. Nous avons cependant retenu une espèce très valable et facilement identifiable. Elle ne risque pas non plus d'être confondue avec des espèces vénéneuses et se révèle assez intéressante pour le débutant.

Le pleurote huître
pleurotus ostreatus
noiret

Chapeau: Lorsqu'il est jeune, il a la forme d'une huître d'où son nom. Il s'étale par la suite et devient quelque peu concave, atteignant de 6 à 20 cm de diamètre. De couleur blanche, il vire ensuite au gris-brun. Il est rattaché latéralement au pied.

Lamelles: Blanches, elles sont décurrentes et descendent très bas sur le pied.

Spores: Blanches.

Pied: Très court, fort, blanc et recouvert de poils à la base.

Volve: Inexistante.

Chair: Blanche, ferme et odorante.

Habitat: On le rencontre très souvent, en été et en automne, sur le tronc d'arbres feuillus morts.

Le pleurote huître se rencontre fréquemment dans les bois. Il est très facile à reconnaître et il ne ressemble à aucune espèce vénéneuse. De plus, son parfum et sa saveur raffinés en font un mets délicieux. Il faut toutefois le cueillir lorsqu'il est jeune. Plus tard, il devient coriace et insipide.

Le pleurote huître

Les bolets

Le grand groupe des bolets comprend de nombreuses espèces. Ils sont généralement de bonne taille et munis d'un pied fort. On les reconnaît à leurs tubes verticaux qui remplacent les lamelles. Ces tubes se détachent facilement du chapeau si on les gratte. De plus, la chair de certains bolets vire au bleu ou au vert lorsqu'on la casse. Ils sont faciles à reconnaître par leur couleurs voyantes. Enfin, les bolets sont tous comestibles, à l'exception d'une espèce qui, de toute façon, se reconnaît à son goût très amer. Certains bolets sont excellents pour la table et constituent des espèces précieuses pour le débutant.

Le bolet amer
boletus felleus
bolet du diable

Chapeau: Presque sphérique au départ, il s'étale par la suite et peut atteindre de 6 à 12 cm de diamètre. Lisse, de couleur jaune brun ou brun clair.

Tubes: Longs, décurrents ou adnés de couleur d'abord crème virant rapidement au rose.

Spores: Roses.

Pied: Fort, droit et renflé à la base ou parfois au milieu. Recouvert d'écailles à la partie supérieure mais généralement lisse à la base.

Chair: Epaisse et molle. Blanche, elle devient rose lorsqu'on la casse.

Habitat: On le retrouve quelquefois, en été et en automne, dans les bois.

Le bolet amer est le seul bolet vénéneux du Québec. De plus, les auteurs ne s'entendent pas sur le fait qu'il soit toxique ou non. De toute façon, le goût en est tellement amer (d'où son nom) que personne n'oserait en manger. Lorsque vous cueillez des bolets qui lui ressemblent, cassez simplement un morceau de chair et mastiquez-le un peu, vous découvrirez tout de suite s'il s'agit d'un bolet amer ou non!

Le bolet amer 

Le bolet baie
boletus badius

Chapeau:	En demi-sphère ou aplati, il a la texture d'une peau de chamois. Il peut atteindre de 5 à 10 cm de diamètre. De couleur brun quenouille ou chocolat.
Tubes:	Adnés ou légèrement décurrents près du pied. Jaunes au départ, ils virent ensuite au vert olive ou parfois teinté de rouge.
Spores:	Vertes.
Pied:	Long et droit. De couleur blanche à la base et jaunâtre au sommet, il est strié de brun.
Chair:	Epaisse et molle. Blanche ou rosâtre, elle bleuit un peu lorsqu'on la casse.
Habitat:	On le retrouve quelquefois, en été et en automne, dans les bois, surtout près des pins.

Ce beau champignon brun est assez bon, quoiqu'il ne soit pas le meilleur. Toutefois, il vaut la peine d'être essayé. Facile à reconnaître à son chapeau brun, le bolet baie est une espèce précieuse pour le débutant.

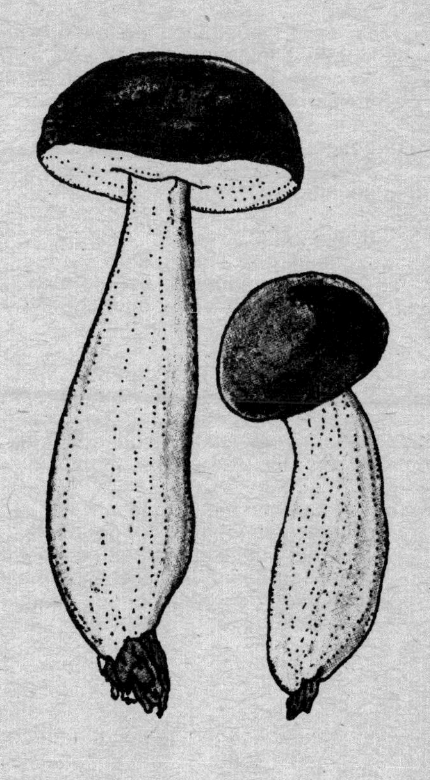

Le bolet baie

Le bolet cèpe
boletus edulis
cèpe de Bordeaux

Chapeau: En forme de demi-sphère quelque peu lustrée, atteignant de 10 à 20 cm de diamètre. Sa couleur varie du blanc terne (rare) au marron.

Tubes: Longs, légèrement décurrents près du pied. Blancs au départ, ils virent ensuite au jaune verdâtre.

Spores: Brun olive.

Pied: Très fort, en forme de poire. De couleur blanche et couvert de filaments blancs à sa partie supérieure.

Chair: Epaisse, blanche et odorante.

Habitat: On le rencontre souvent, en été et en automne, dans les bois de conifères ou dans les clairières des forêts.

Le bolet cèpe est le meilleur des bolets, et très recherché par les gourmets. Sa grosse taille et son beau chapeau le rendent assez visible et facilement identifiable. A conseiller aux débutants et même aux experts, tant il est savoureux.

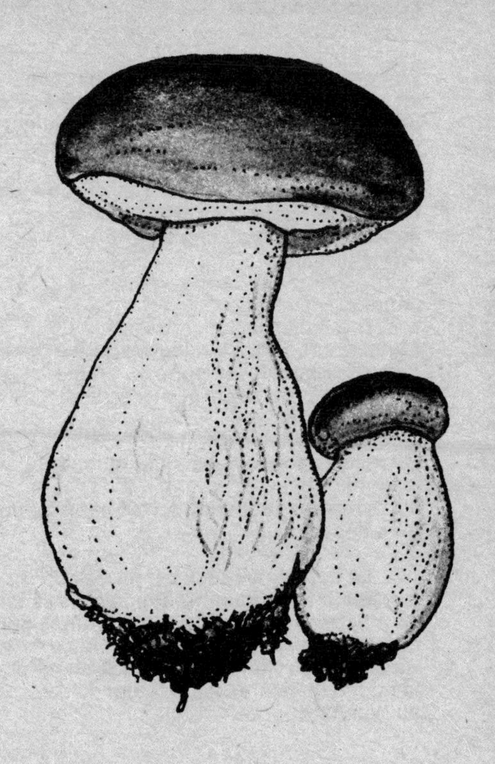

Le bolet cèpe

Le bolet granuleux
boletus granulatus

Chapeau: D'abord demi-sphérique, il devient plat en vieillissant et peut atteindre de 5 à 10 cm de diamètre. Il est visqueux et de couleur jaune brunâtre. La marge est généralement grossièrement ondulée.

Tubes: Plutôt courts et adnés. Blancs au départ, ils virent ensuite au jaune serin en vieillissant.

Spores: Jaunes.

Pied: Plutôt court, fort, parfois plus petit à la base qu'au sommet. Il est jaune ou crème et recouvert de petits grains bruns au sommet.

Chair: Blanche (parfois jaune pâle) et molle.

Habitat: On le retrouve souvent, en été et en automne, près des pins.

Le bolet granuleux est un des bons bolets à connaître. On lui reproche parfois sa chair un peu trop molle, mais la plupart des gens ne l'en trouvent pas moins délicieux. En outre, sa relative abondance en rend la cueillette intéressante. A conseiller au débutant.

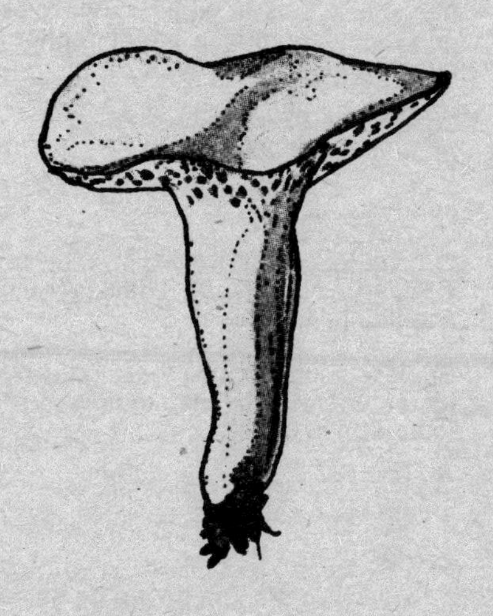

Le bolet granuleux

Le bolet indigo

boletus cyanescens

indigotier

Chapeau: En forme de demi-sphère ou devenant parfois plat en vieillissant, il peut atteindre de 5 à 10 cm de diamètre. De couleur blanche, il est recouvert de fibres ou d''écailles couleur paille. La marge est généralement plus ou moins repliée sur elle-même.

Tubes: Longs, décurrents près du pied et de couleur blanche.

Spores: Jaunes.

Pied: Gros et fort, renflé vers le bas. Lisse à la partie supérieure, il devient quelque peu écailleux à la base.

Chair: Epaisse, molle et blanche. Elle vire instantanément au bleu indigo lorsqu'on la casse.

Habitat: On le rencontre quelquefois, en été et en automne, dans les bois.

Ce beau bolet blanc est un de nos meilleurs bolets. Beaucoup de gens hésitent à en manger lorsqu'ils voient la chair tourner subitement au bleu foncé. Ils ont tort, car le bolet indigo est franchement savoureux et très recherché par les véritables connaisseurs.
A recommander aux débutants.

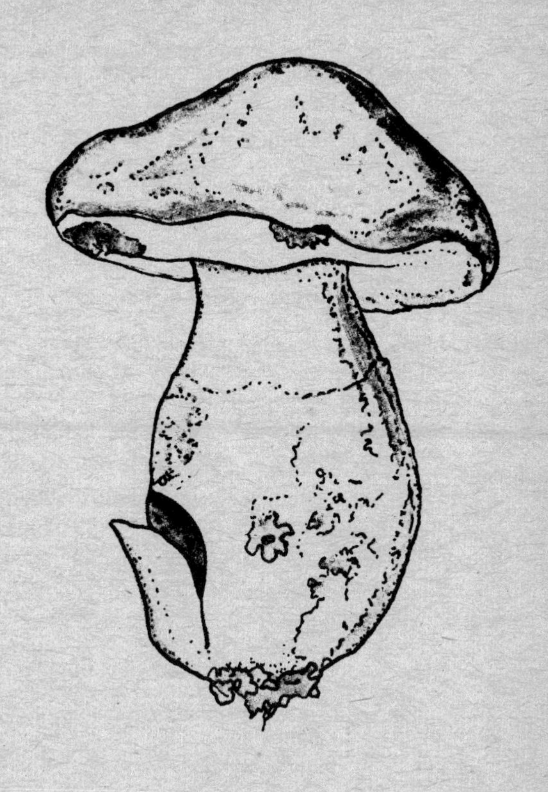

Le bolet indigo

Le bolet roux
boletus rufus

Chapeau: En forme de demi-sphère parfaite, il peut atteindre de 6 à 12 cm de diamètre. De couleur rouge ou vermillon.

Tubes: Ils sont libres, fins et blancs, devenant ternes en vieillissant.

Spores: Rousses.

Pied: Plutôt long et un peu renflé à la base. De couleur blanc terne et strié de fibres saillantes grises ou noires.

Chair: Molle, épaisse et blanche. Elle vire au gris-vert lorsqu'on la casse.

Habitat: On le retrouve quelquefois, en été et en automne, dans les bosquets de bouleaux ou de peupliers.

Le bolet roux, quoique moins populaire que les autres bolets, n'en demeure pas moins assez bon. Il vaut la peine d'être cueilli. De plus, son beau chapeau rouge le rend facilement identifiable. A conseiller aux débutants.

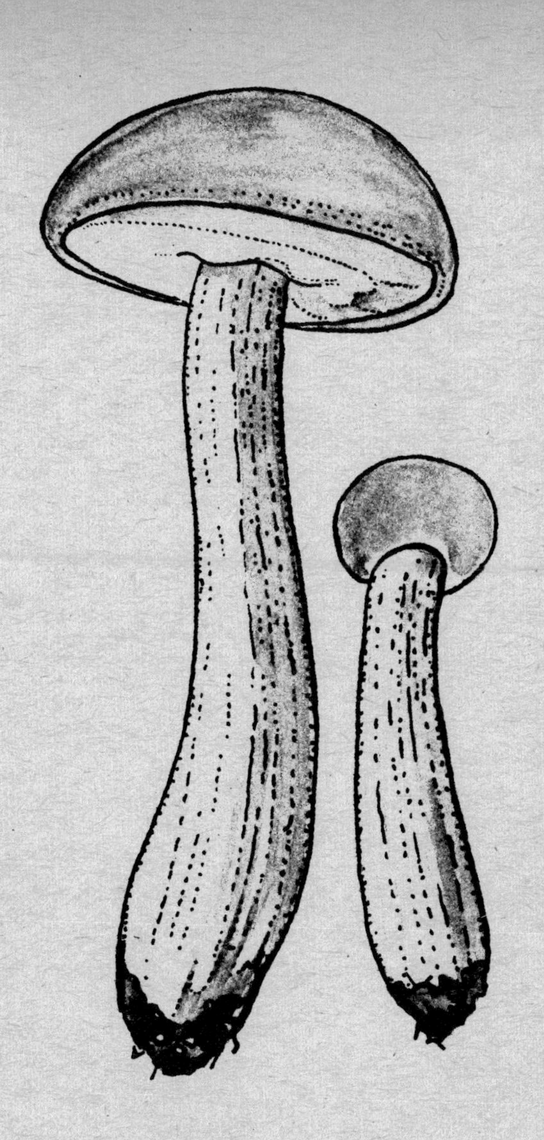

Le bolet roux

Les polypores

Ce groupe ressemble assez aux bolets par la présence de tubes sous le chapeau. Ceux-ci, cependant, ne se détachent pas comme ceux des bolets. Tous les polypores sont comestibles, mais le plus souvent coriaces. Quelques espèces, toutefois, sont plus tendres et succulentes. Faciles à reconnaître, ils ne risquent pas d'être confondus avec des espèces vénéneuses. Les débutants peuvent s'y intéresser sans danger.

Le polypore des brebis
polyporus ovinus
amadouvier

Chapeau: D'abord convexe, il s'étale ensuite pour devenir plutôt concave. Il peut atteindre de 3 à 6 cm de diamètre. D'abord régulier et lisse il devient vite lobé et sa marge se fendille. Blanc au départ il vire ensuite au jaune et parfois au brun pâle.

Lamelles: Remplacées par des tubes blancs devenant jaunâtres en vieillissant.

Pied: Court et fort, souvent bulbeux.

Volve: Inexistante.

Chair: Blanche et ferme. Elle vire au jaune en vieillissant.

Habitat: On le rencontre quelquefois dans les bois de conifères, en été et en automne.

Le polypore des brebis est un de nos champignons les plus délicieux. On peut le reconnaître facilement sans aucun risque de le confondre avec des espèces vénéneuses. Il a la mauvaise manie cependant de croître quelquefois aux mêmes endroits que le polypore conflué. Celui-ci lui ressemble comme un frère, est comestible, mais il est très coriace. Tranchez simplement vos champignons en deux avant de les cuire. Vous verrez alors que les P. conflués sont un peu difficiles à couper. Jetez-les simplement.

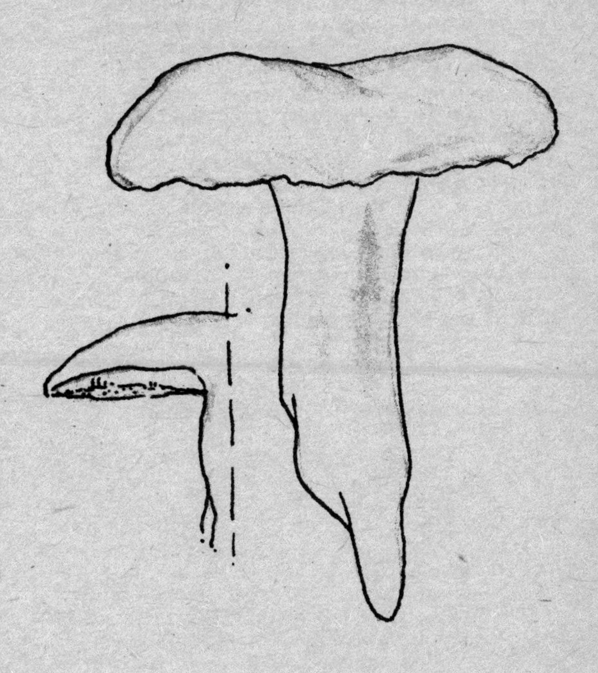

Le polypore des brebis

Le polypore en ombrelle
polyporus umbellatus

Le polypore en ombrelle est très facile à reconnaître et ne risque pas d'être confondu avec des espèces vénéneuses. Il atteint une bonne taille et se divise en ramifications plus ou moins dressées. Chaque branche est munie à son sommet d'un petit chapeau concave et plus ou moins strié. Les chapeaux sont parfois blancs, parfois brun ocre. Ils sont couverts, sur leur face inférieure, de pores blancs virant parfois au brun avec l'âge.

Bien qu'il soit plutôt rare, on le rencontre quelquefois en automne au pied des arbres. Sa chair molle et très savoureuse en fait un mets très apprécié des connaisseurs.

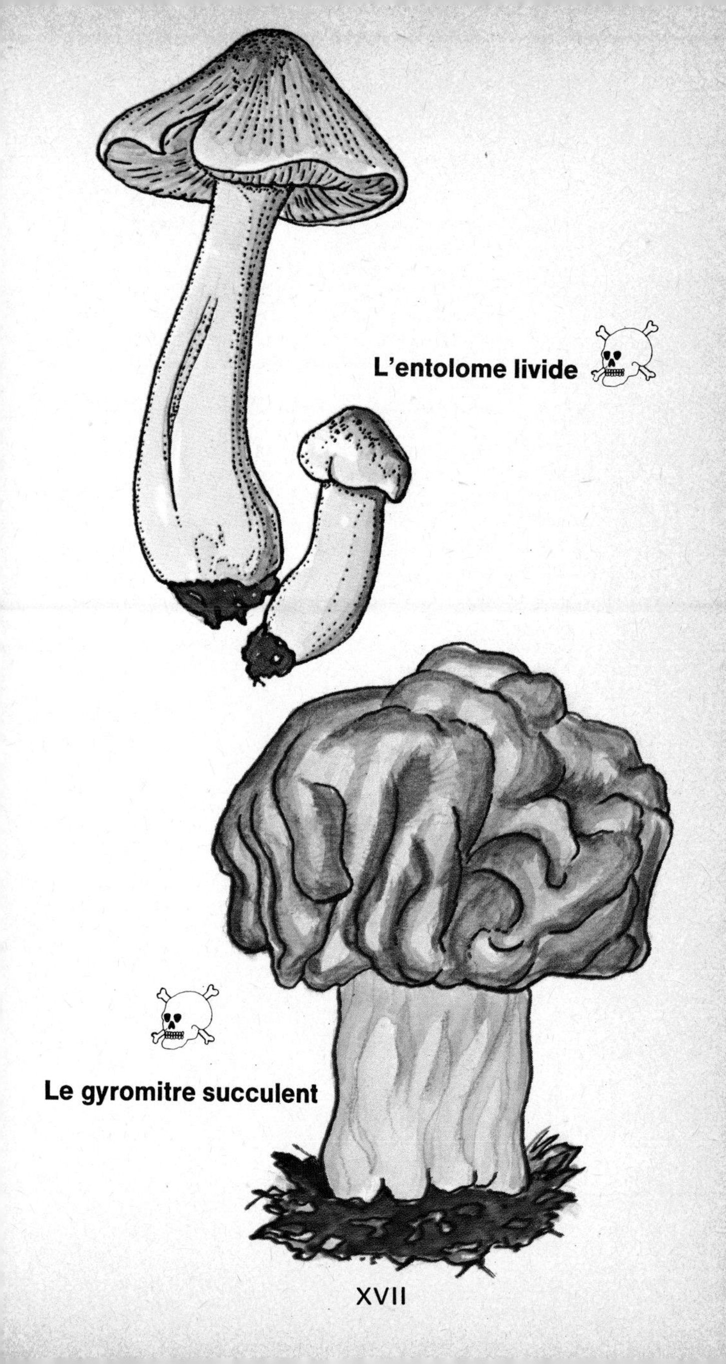
L'entolome livide
Le gyromitre succulent

L'helvelle lacuneuse

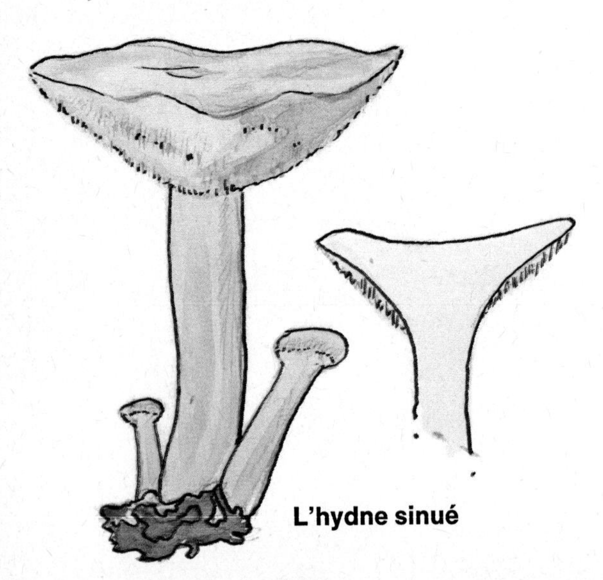

L'hydne sinué

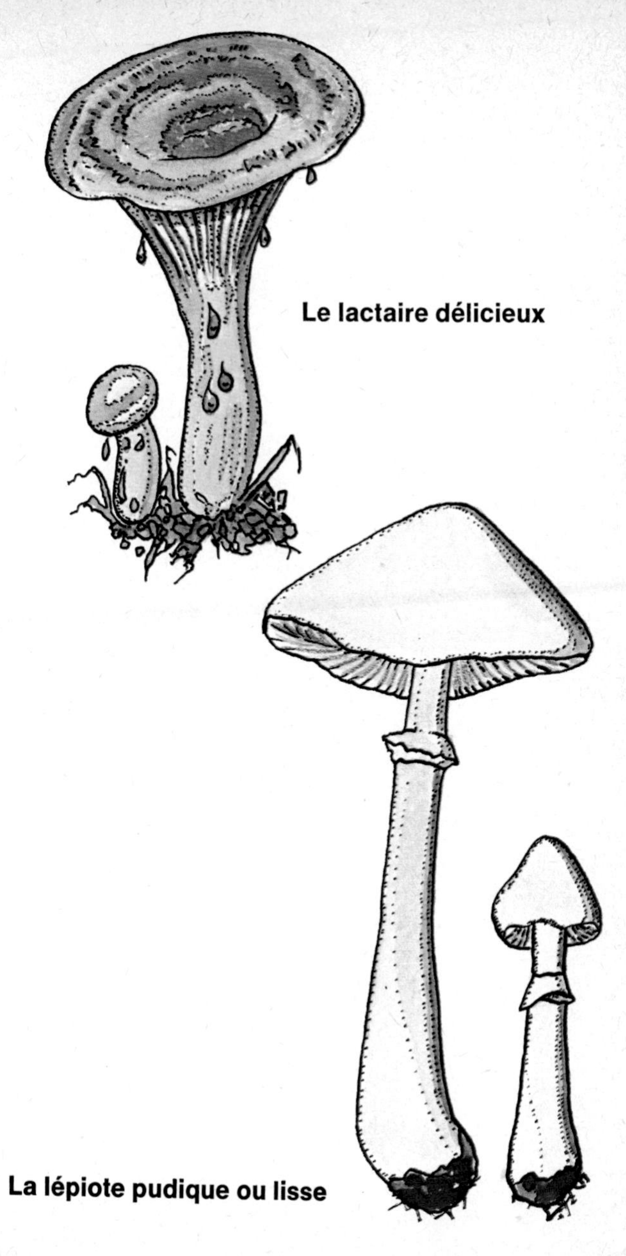
Le lactaire délicieux
La lépiote pudique ou lisse

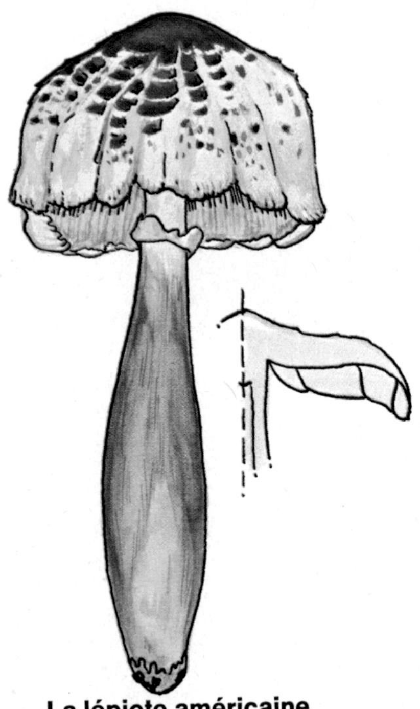

La lépiote américaine

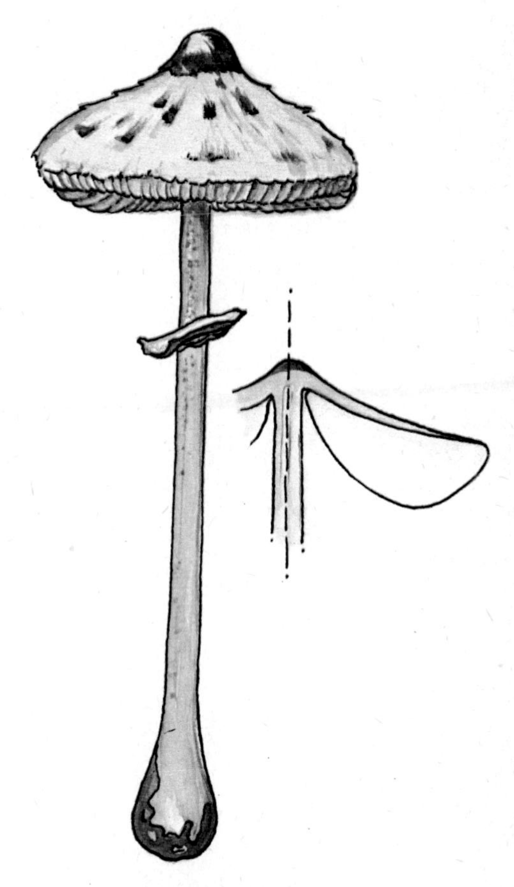

La lépiote élevée

La lépiote de Morgan

Le marasme à odeur d'ail

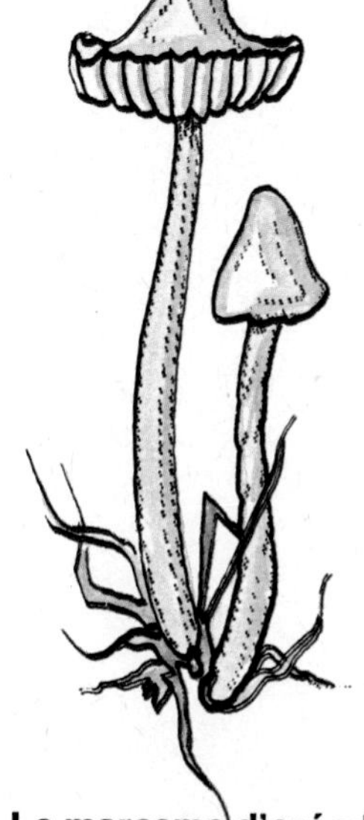

Le marasme d'oréade

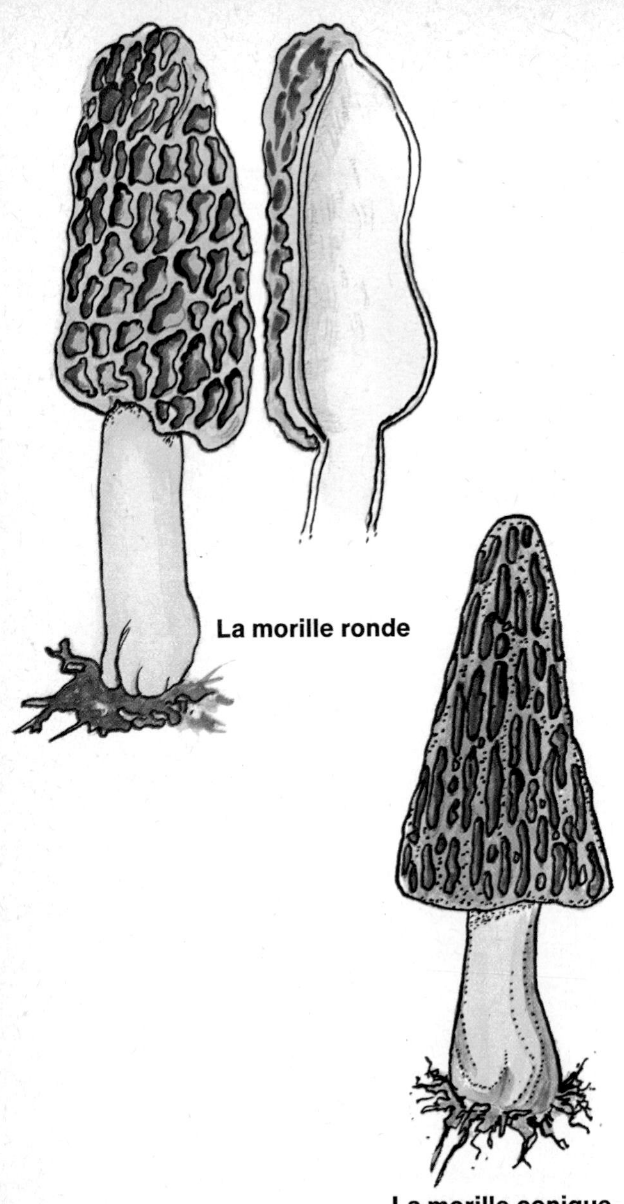

La morille conique

L'omphale en cloche

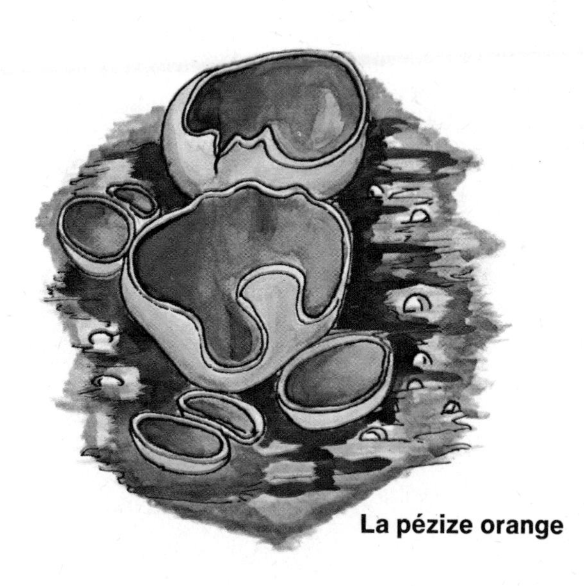
La pézize orange

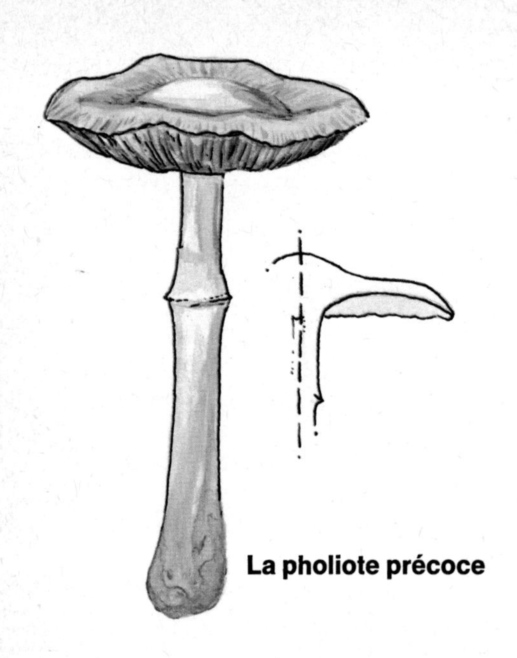

La pholiote précoce

Le pleurote huître

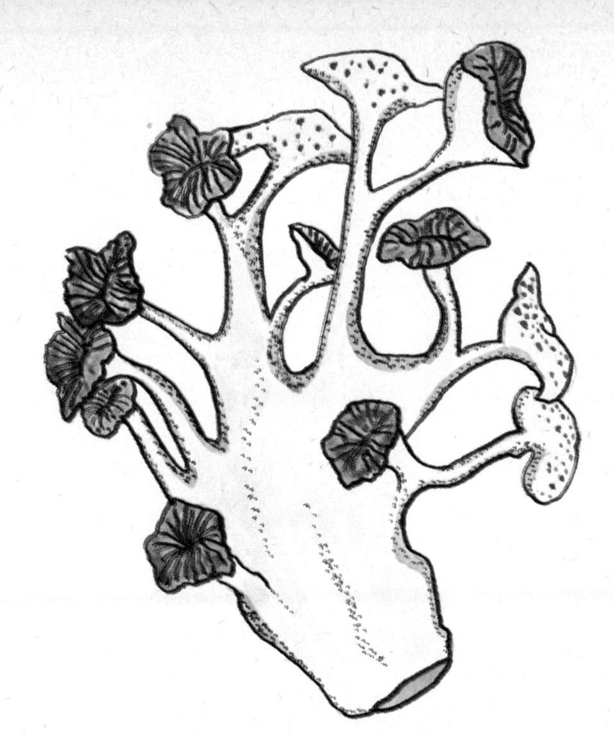
Le polypore en ombrelle

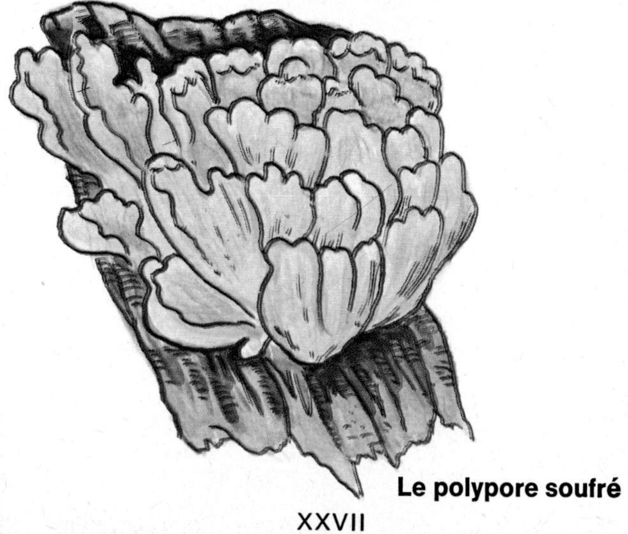
Le polypore soufré

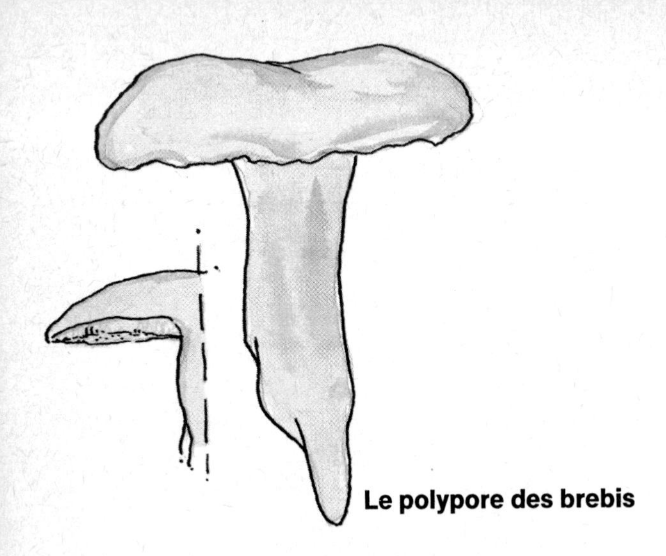

Le polypore des brebis

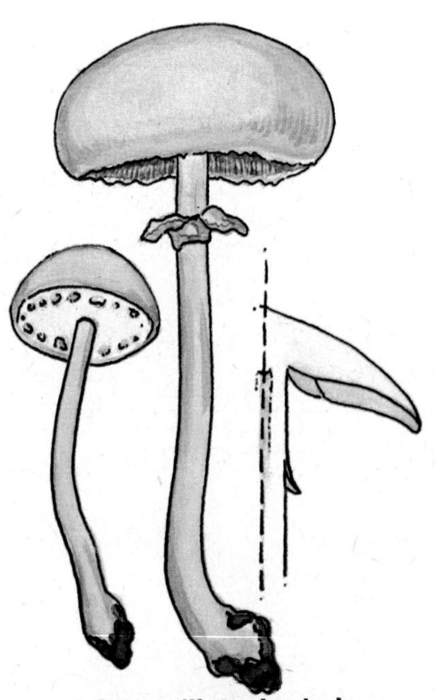

La psalliote des bois

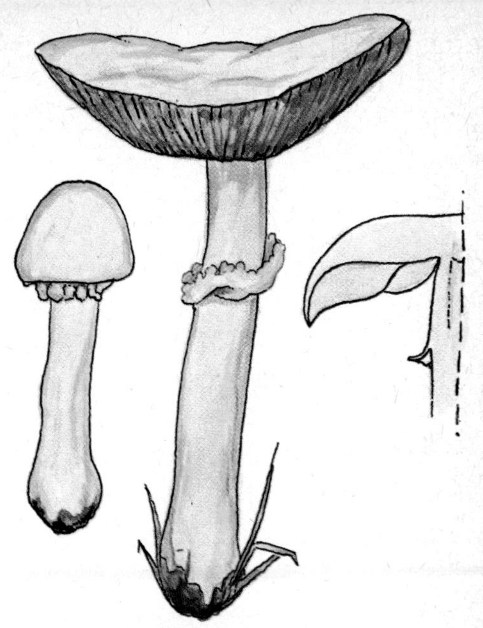

La psalliote des jachères

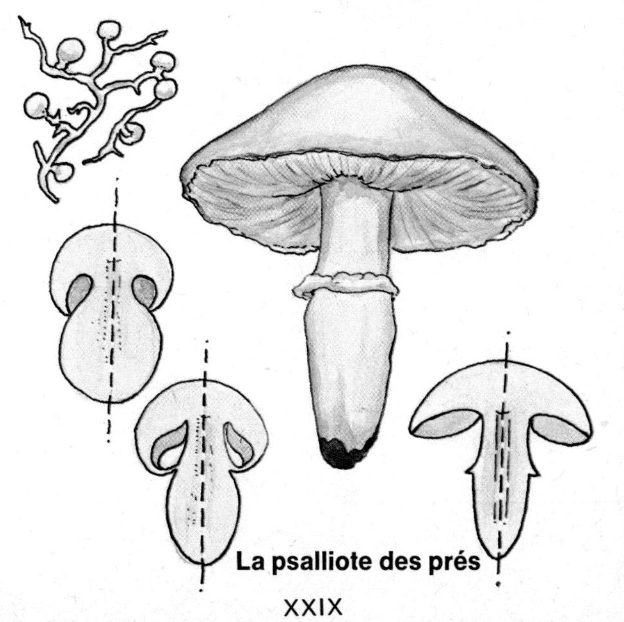

La psalliote des prés

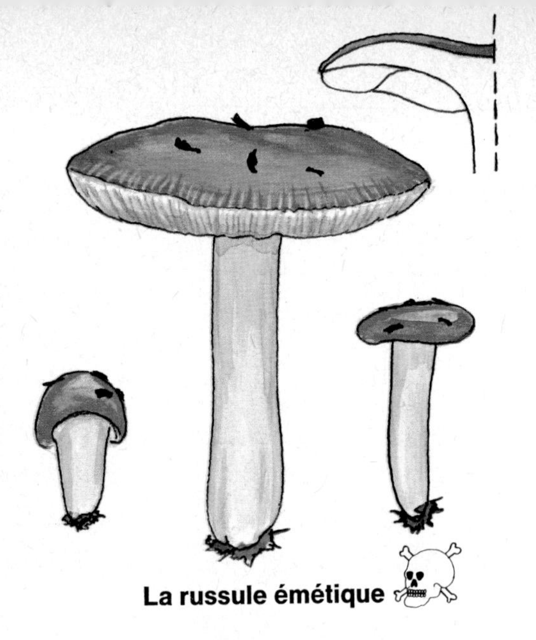

La russule émétique

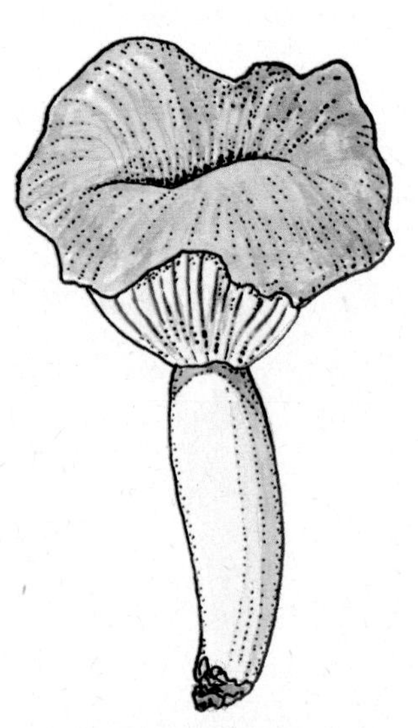

La russule verdoyante

XXX

Le tricholome travesti

Le tricholome équestre

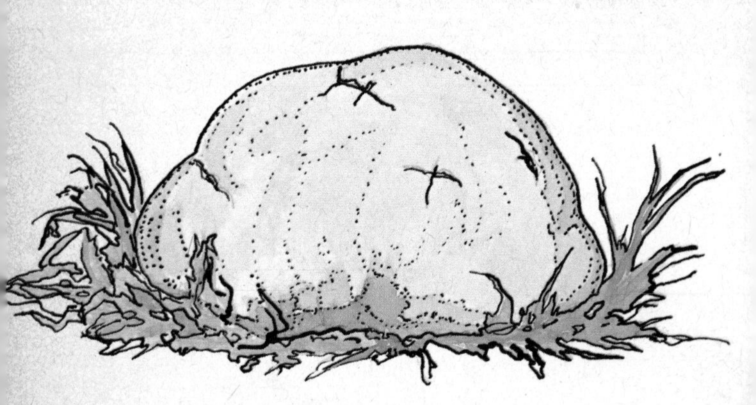

La vesse-de-loup géante

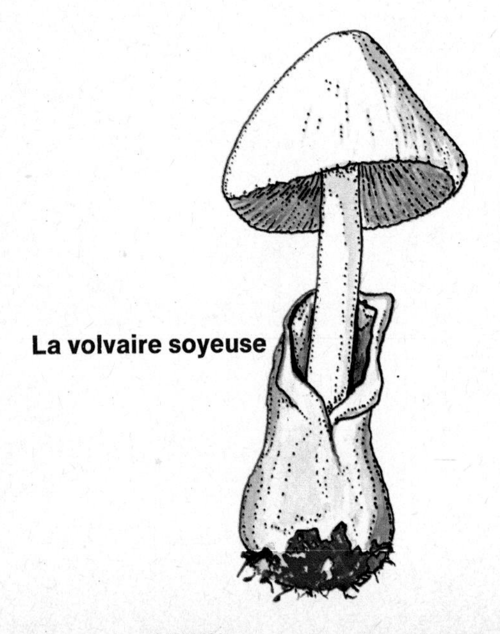

La volvaire soyeuse

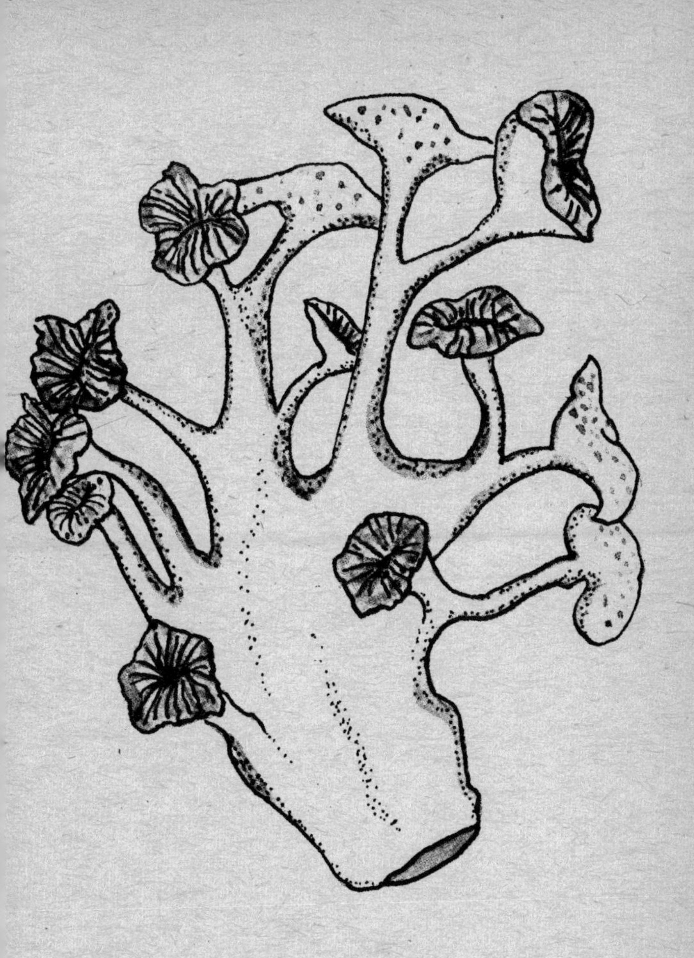

Le polypore en ombrelle

Le polypore soufré
polyporus sulphureus

Ce champignon plutôt voyant
se rencontre quelquefois en automne
sur les souches ou les troncs d'arbres morts.
On le reconnaît facilement à ses grosses
touffes de chapeaux d'un jaune soufre
à marge orangée. Les gourmets
ne s'entendent pas quant à la qualité
de sa saveur. Certains le trouvent excellent,
d'autres exécrable. Comme ce champignon
est comestible et ne ressemble à rien
de dangereux, l'amateur peut y goûter
sans danger et trancher lui-même la question.

Le polypore soufré

Le polypore frondé
polyporus frondosus
coquiller
poule des bois

Le polypore frondé tire son surnom de poule des bois du fait qu'il ressemble à une poule en train de couver. Il est branchu et peut atteindre près de 30 cm de hauteur. Chaque branche de couleur blanche se termine par un chapeau lisse, étalé et de couleur gris-noir ou ocrée. Les chapeaux sont, de plus, reliés latéralement aux branches et non pas par leur centre. Ils sont enfin recouverts sur leur face intérieure de tubes délicats. La chair est blanche, tendre mais devient légèrement fibreuse lorsque le champignon prend de l'âge.

Sa saveur délicatement poivrée et la facilité avec laquelle on le reconnaît font du polypore une espèce précieuse pour la table. Cueillez-le de préférence lorsqu'il est jeune avant que sa chair ne devienne trop fibreuse. Bien qu'il soit plutôt rare, on le rencontre quelquefois en automne, sur ou près des souches de vieux arbres feuillus.

Les collybies

Les collybies

Il s'agit d'un groupe comprenant plusieurs espèces. Peu, cependant, sont vraiment intéressantes bien qu'elles soient toutes comestibles. Le pied est généralement cartilagineux et fort. Le chapeau se teinte d'ocre plus ou moins prononcé et la marge est généralement striée ou ondulée.
On ne risque pas, ou presque, de confondre les collybies avec des espèces vénéneuses ce qui les rend précieuses pour les débutants.

La collybie à pied velu
collybia velutipes
souchette

Chapeau: D'abord demi-sphérique, il s'étale quelque peu en vieillissant mais conserve sa forme. Il atteint environ 3 à 6 cm de diamètre. De couleur jaune orangé ou rougeâtre. La marge devient striée en vieillissant.

Lamelles: Elles sont plutôt larges, adnées et blanches, parfois jaunâtres.

Spores: Blanches.

Pied: Creux, fort et droit. Il est très velu à la base (d'où son nom). Jaune au sommet, il tourne au brun à la base.

Volve: Inexistante.

Chair: Epaisse et blanche, parfois teintée de jaune ou de rouge.

Habitat: On la retrouve souvent, à la fin de l'automne, sur les troncs d'arbres morts ou malades. Elle pousse en touffes ce qui la rend plus visible.

La collybie à pied velu est un fin comestible que les connaisseurs savent apprécier. Elle est, de plus, abondante. Elle apparaît généralement dans les bois après la disparition des autres espèces, ce qui la rend encore plus précieuse. Il vaut mieux trancher les pieds vers leur milieu et jeter la partie velue de la base. Enfin, la collybie ne risque pas d'être confondue avec des espèces vénéneuses. A recommander aux débutants.

Les entolomes

Les entolomes

Ce petit groupe ne comprend que des espèces vénéneuses, quoique non mortelles. Celle que nous considérons ici est parfois confondue avec d'autres champignons de couleur blanche comme elle. Toutefois, son aspect caractéristique permet vite de la reconnaître et de l'éviter.

L'entolome livide
entoloma lividum

Chapeau:	D'abord en forme de cloche, il s'étale ensuite pour devenir presque plat et peut atteindre de 7 à 10 cm de diamètre. Il est ridé, blanc grisâtre ou blanc brunâtre. La marge a tendance à se rider ou à se fendre en vieillissant.
Lamelles:	Emarginées ou adnées. D'abord crème, elles virent ensuite au rose saumon.
Spores:	Roses.
Pied:	Fort, blanc ou grisâtre. Il devient creux en vieillissant. La base du pied est parfois renflée, parfois droite.
Volve:	Inexistante.
Chair:	Epaisse et blanche. Elle dégage une bonne odeur de farine.
Habitat:	On le rencontre quelquefois, en automne, dans les bois.

Quoique franchement vénéneux, l'entolome livide n'est pas mortel. Sa belle apparence et, surtout, sa bonne odeur de farine attirent souvent les imprudents; c'est pourquoi nous le mentionnons ici. On peut le confondre avec certaines espèces comestibles mais, en ce qui nous concerne, l'entolome livide a peu de chances d'être confondu avec celles qui sont mentionnées dans cet ouvrage. Il est bon, toutefois, d'apprendre à le reconnaître, afin de pouvoir l'éviter.

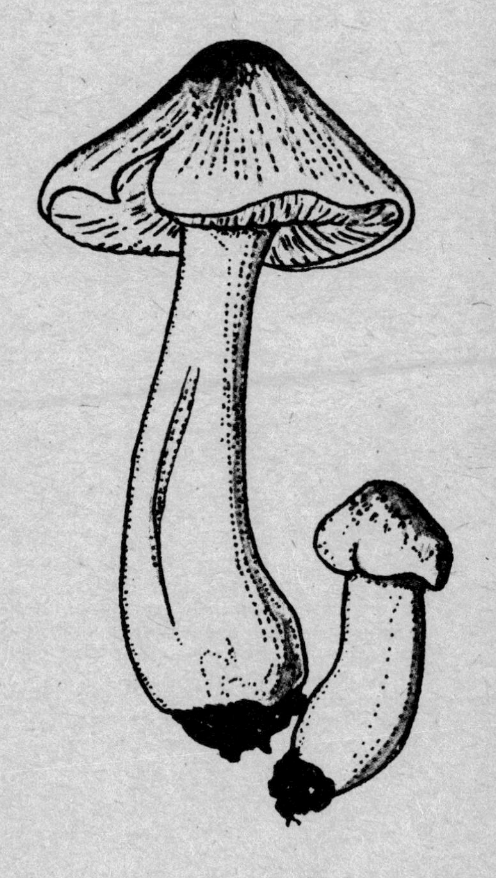

L'entolome livide

Les tricholomes

Ces beaux champignons
se reconnaissent à leur apparence robuste,
leur chair ferme et leur pied trapu recouvert
de fibres ou d'écailles. Les tricholomes
sont tous comestibles bien que plusieurs
soient insipides et même désagréables
au goût. Enfin, ils sont faciles à reconnaître
et ne risquent pas d'être confondus avec
des espèces vénéneuses. Les débutants
trouveront parmi les tricholomes certaines
espèces délicieuses.

Le tricholome équestre
tricholoma equestre
canari
chevalier

Chapeau: D'abord en demi-sphère, il devient ensuite plus étalé et quelque peu visqueux. De couleur jaune-verdâtre, près de la marge, il est couvert de petites écailles brun-rouge près du centre. La marge est, de plus, souvent ondulée ou légèrement repliée sur elle-même.

Lamelles: Adnées et serrées. Elles ont une couleur jaune soufre caractéristique.

Spores: Blanches.

Pied: Droit, court, fort, jaune ou rousselé.

Volve: Inexistante.

Chair: Epaisse et blanche ou légèrement jaunâtre sous la surface du chapeau.

Habitat: On le retrouve souvent, à l'automne, dans les bois et les sous-bois.

Le tricholome équestre est un de nos beaux champignons à saveur recherchée. Facile à reconnaître, on ne peut le confondre qu'avec le tricholome soufré qui lui ressemble beaucoup. Celui-ci est comestible, mais il a très mauvais goût. Heureusement, on peut le reconnaître facilement à la forte odeur de soufre (d'où son nom) qu'il dégage, tandis que le T. équestre ne sent rien.

Enfin, le tricholome équestre comme le T. travesti (ci-après) sont des champignons excellents pour les débutants.

Le tricholome équestre

Le tricholome travesti

tricholoma personatum

Chapeau: D'abord en demi-sphère, il s'étale par la suite pour devenir plan. Il peut atteindre de 6 à 12 cm de diamètre. Sa couleur peut varier du violet au pourpre en passant par le bleu. Il a tendance à pâlir en vieillissant.

Lamelles: Elles sont adnées, larges et détachables. D'abord bleu ciel, elles pâlissent ensuite.

Spores: Roses.

Pied: Court, fort et bulbeux. Il est recouvert de petites écailles et affiche la même couleur que le chapeau.

Volve: Inexistante.

Chair: Humide, tendre. D'abord mauve pâle, elle devient blanche en vieillissant.

Habitat: On le trouve très souvent, en automne, dans les bois ou dans les prés.

Le tricholome travesti est un de nos beaux champignons. De plus, il est délicieux et délicatement parfumé. On le confond souvent avec le tricholome nudum (pied bleu), qui est encore meilleur au goût. Heureuse confusion d'ailleurs. Les deux variétés poussent à peu près aux mêmes endroits. Le pied bleu, son nom le dit, est d'un bleu plus pur que le travesti. Enfin, rien de vénéneux ne ressemble de près à ces tricholomes. A conseiller aux débutants.

Le tricholome travesti

Les clitocybes

On reconnaît les clitocybes à leur pied fibreux à texture de caoutchouc. Les lamelles sont, en général, décurrentes, mais parfois adnées. Les spores sont blanches et le chapeau lisse. De plus, la marge du chapeau est, la plupart du temps, enroulée sur elle-même et ne se déroule que lorsque le chapeau devient plat ou concave en prenant de l'âge. On associe souvent ce genre aux chanterelles. Toutefois, ces dernières sont plutôt vivement colorées d'orangé, tandis que les clitocybes affichent plutôt des couleurs ternes de blanc, brun pâle ou gris pâle.

D'autre part, certaines espèces de clitocybes sont comestibles mais pas intéressantes, et d'autres sont considérées comme vénéneuses. En ce qui nous concerne, nous ne considérons que le clitocybe morbifère (vénéneux) parce qu'il risque d'être confondu avec les marasmes.

Le clitocybe morbifère
clitocybe morbifera

Chapeau: Plutôt petit (de 1 à 4 cm) de diamètre. D'abord en demi-sphère, il s'aplatit en vieillissant et devient quelquefois légèrement concave. De couleur gris-brun, il peut pâlir un peu en vieillissant.

Lamelles: Blanchâtres, décurrentes et serrées.

Spores: Blanches.

Pied: Droit et rigide.

Volve: Inexistante.

Chair: Blanche et mince.

Habitat: On le trouve souvent sur les pelouses, en été et en automne.

Lorsqu'il est petit, le clitocybe morbifère peut parfois être confondu avec le marasme d'oréade. Toutefois ses lamelles sont décurrentes, tandis que celles du marasme sont presque libres et courbées vers le bas. Ce caractère suffit à les distinguer. Enfin, en dépit de son nom épeurant, il n'est pas mortel mais peut néanmoins causer de sérieux malaises.

Le clitocybe morbifère 

Les marasmes

Ce groupe ressemble beaucoup à celui des clitocybes. Il en diffère cependant par ses lamelles libres, tandis que celles des clitocybes sont décurrentes. C'est la façon la plus facile de distinguer les marasmes de certains clitocybes vénéneux. Enfin, les marasmes sont comestibles bien qu'ils soient plutôt petits. Certains sont toutefois excellents.

Le marasme à odeur d'ail

marasmius scorodonius

Chapeau: Très petit (de 0,5 à 1 cm à peine), il est d'abord convexe, puis s'étale pour devenir plat. Au départ, de couleur ocre, il pâlit ensuite jusqu'à devenir presque blanc. Le dessus du chapeau et la marge sont ridés.

Lamelles: Minces, adnées et serrées.

Spores: Blanches.

Pied: Il a à peu près la grosseur d'un fil et la consistance du caoutchouc. De couleur ocre, il est parfois plat au lieu d'être rond.

Volve: Inexistante.

Chair: Blanche ou saumon, très mince, elle dégage une forte odeur d'ail.

Habitat: On en retrouve souvent des colonies nombreuses en été et en automne sur le sol des forêts où sont tombées des brindilles et des aiguilles de conifères.

Ce minuscule champignon est très recherché par les gourmets qui apprécient sa saveur d'ail. Trop petit pour être consommé comme tel, il vaut mieux s'en servir comme condiment pour assaisonner les salades et les mets fins. Il est, en outre, très facile à reconnaître par sa forte odeur d'ail bien caractéristique.

Le marasme à odeur d'ail

Le marasme d'oréade
marasmius oreades
faux mousseron
mousseron godaille

Chapeau: En forme de cloche il s'étale, en vieillissant, pour atteindre de 3 à 6 cm de diamètre. On le reconnaît à la grosse bosse qui se forme au centre du chapeau. Sa couleur varie du jaune au rouge brique. La marge est parfois légèrement striée.

Lamelles: Presque libres, courbées vers le bas, épaisses et espacées. Blanchâtres ou jaunes un peu rosé.

Spores: Blanches.

Pied: Plein, long, très coriace et droit. Jaune ou parfois blanc rosé. Il a à peu près la consistance du caoutchouc; si bien qu'on peut le tordre sans le casser.

Volve: Inexistante.

Chair: Blanche, épaisse et tendre, devenant plus ferme en vieillissant.

Habitat: On le retrouve fréquemment, vers la fin de l'été et en automne, sur les pelouses et dans les prés gras. Il pousse en groupes, disposés en cercle.

Très facile à reconnaître, le marasme d'oréade constitue un mets de choix. Le pied, toutefois, est vraiment trop coriace pour être mangé. Comme il est très fréquent, cela vaut la peine de le rechercher. Il faut faire attention cependant de ne pas le confondre avec certains clitocybes vénéneux. Pour les distinguer facilement, rappelons que les clitocybes ont des lamelles décurrentes tandis que celles de notre marasme d'oréade sont libres (ou presque) et courbées vers le bas.

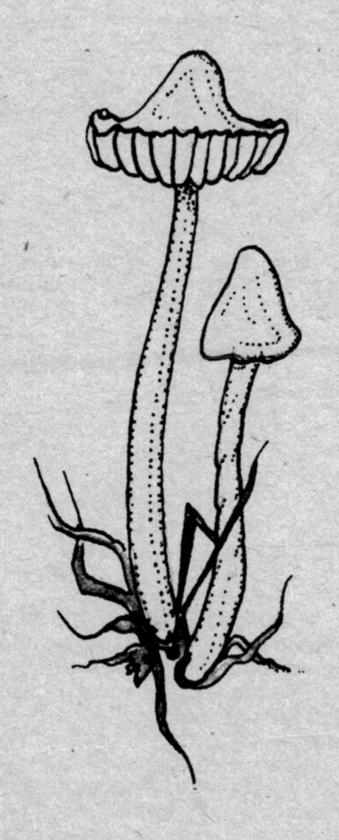

Le marasme d'oréade

Les clavaires

Ce groupe se reconnaît facilement à son apparence bien particulière. Les clavaires prennent en général la forme d'un petit arbuste ou d'un chou-fleur. Les clavaires sont toutes comestibles et certaines sont excellentes. Elles ne risquent pas d'être confondues avec des espèces vénéneuses. Elles sont donc parfaites pour les débutants.

La clavaire fusiforme
clavaria fusiformis

La clavaire fusiforme se rencontre souvent en été et en automne dans les bois de conifères et les forêts mixtes.
Bien que comestible, la clavaire fusiforme possède une saveur amère sans aucun intérêt.

La clavaire fusiforme

La clavaire jaune
clavaria flava
menotte ou pied-de-coq

A l'instar des hydnes, la clavaire ressemble à un chou-fleur. De couleur jaune clair, elle est constituée de plusieurs branches partant d'un gros tronc court.

On la rencontre fréquemment en été dans les forêts où elle pousse à même le sol. La chair de la clavaire est tendre et d'un goût délicat et fort apprécié. On la confond souvent, toutefois, avec la clavaire dorée, espèce tout aussi délicieuse, de couleur plus dorée. Faciles à reconnaître et toutes inoffensives, les clavaires plairont à l'amateur débutant.

La clavaire jaune

Les hydnes

Ce groupe ressemble parfois
aux clavaires, mais quelquefois aussi
à des champignons à chapeau.
Ils se reconnaissent tous cependant
à leurs aiguilles, parfois longues,
qui pendent des branches ou encore situées
sous le chapeau lorsque ce dernier existe.
Les hydnes sont tous comestibles et certains
ont un goût délicat et fort apprécié.
On ne risque pas de les confondre avec
des espèces vénéneuses, ce qui les rend
précieux pour le débutant.

L'hydne sinué

hydnum repandum

pied de mouton

Chapeau: Sphérique au départ, il s'étale et se déforme rapidement. Il devient parfois concave en vieillissant. Il peut atteindre de 8 à 13 cm de diamètre. On le reconnaît surtout à sa surface bosselée ou lobée et à sa couleur crème, parfois jaunâtre. La marge s'enroule un peu sur elle-même.

Lamelles: Remplacées par des aiguillons.

Spores: Crème.

Pied: Fort et plein. De couleur blanche ou crème.

Volve: Inexistante.

Chair: Blanche, épaisse et cassante.

Habitat: On le retrouve souvent dans les bois en été et en automne.

L'hydne sinué est plutôt facile à reconnaître. On ne risque pas de le confondre avec des espèces vénéneuses. Par surcroît, il a bon goût. C'est donc une espèce tout indiquée pour le débutant.

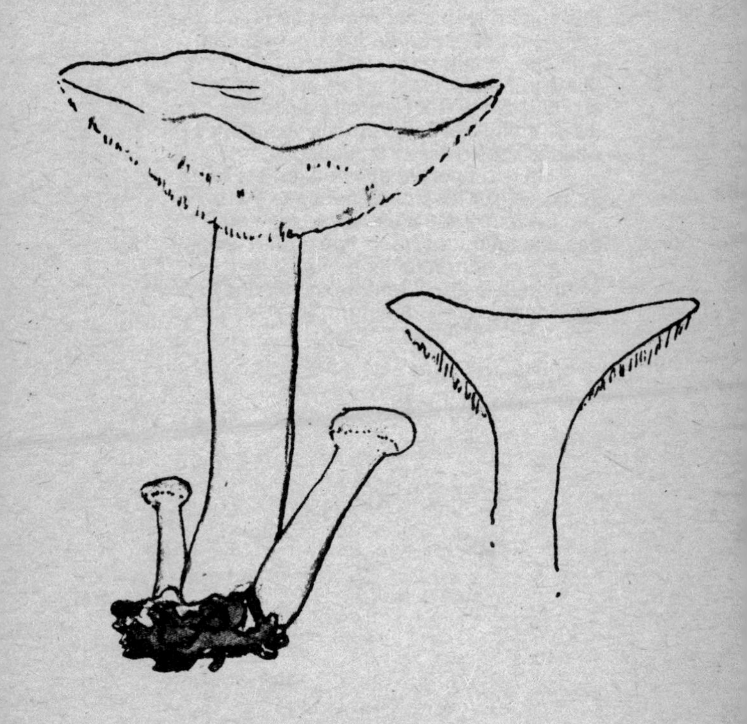

L'hydne sinué

L'hydne rameux
hydnum ramosum

L'hydne rameux diffère tellement des champignons classiques qu'on ne peut vraiment pas le confondre. Il ressemble à un chou-fleur. D'une belle couleur d'un blanc pur, il devient parfois un peu plus terne en vieillissant. Il est en fait constitué d'une multitude de branches desquelles pendent des masses d'aiguillons.

On le rencontre souvent, en été et en automne, sur les troncs couchés d'arbres feuillus morts. Ce n'est pas le meilleur des champignons, mais son goût n'en est pas moins apprécié. La facilité avec laquelle on l'identifie en fait une espèce précieuse pour le débutant.

Les omphales

Les omphales

Ce petit groupe renferme quelques espèces dans notre flore. On les reconnaît à leur petit chapeau en forme de parasol. Bien que comestibles, les omphales sont souvent rejetées à cause de leur petite taille. L'espèce que nous avons retenue ici vaut cependant la peine que l'on s'y arrête.

L'omphale en cloche
omphalia campanella

Chapeau: Très petit, de 0,5 à 2 cm. Il a la forme d'un petit parasol. Strié et de couleur orange ou rouge clair.

Lamelles: Jaunes, décurrentes et réunies par des filaments.

Spores: Blanches.

Pied: Coriace, droit, de la grosseur d'une ficelle. Il s'élargit vers le bas. La base est plutôt poilue.

Volve: Inexistante.

Chair: Jaune et très mince.

Habitat: On le rencontre souvent, en été et en automne, sur les vieilles souches pourries de conifères.

Ce tout petit champignon se rencontre en grand nombre dans nos bois. Certains le trouvent excellent, d'autres ne lui reconnaissent aucune valeur. Pour notre part, nous croyons qu'il vaut la peine d'être cueilli. Les pieds sont toutefois trop coriaces pour être consommés; mieux vaut ne conserver que les chapeaux.

L'omphale en cloche

Les pézizes

Ce groupe comprend plusieurs espèces comestibles, mais de taille insignifiante. Une seule mérite notre attention. Son apparence caractéristique la rend facilement identifiable.

La pézize orange
peziza aurantia
oreille d'âne

C'est un petit champignon
très particulier à cause de sa belle couleur
orange vermillon et de son apparence cireuse.
Elle peut atteindre au plus 6 cm de diamètre.
Elle ressemble un peu à une oreille
ou à un petit bol. Elle est, de plus, dépourvue
de pied et croît directement sur le sol.
On la rencontre souvent, au printemps,
dans les forêts, le long des sentiers
et sur les pelouses ombragées.

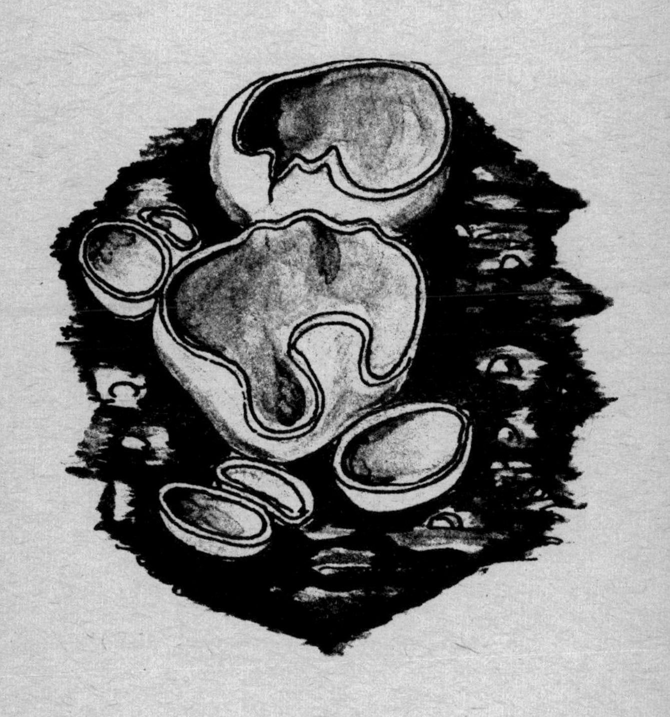

La pézize orange

Les vesses-de-loup

Ces champignons se reconnaissent facilement à leur apparence bien particulière. Ils ont, en effet, la forme d'un oeuf ou d'une boule pouvant atteindre parfois des proportions énormes, et n'ont pas de pied. Toutes les vesses-de-loup sont comestibles mais une seule, à notre avis, vaut la peine d'être consommée.
Les débutants apprécieront particulièrement ce genre de champignon, car c'est le plus facile à identifier.

La vesse-de-loup géante
lycoperdon giganteum

C'est le plus gros de nos champignons. Il forme une énorme boule pouvant atteindre jusqu'à 60 cm de diamètre. Bien qu'elle soit plutôt rare, son apparition ne passe jamais inaperçue. Entièrement blanche, ou parfois légèrement grisâtre, on la rencontre quelquefois en automne à l'orée des bois, ou sur les terrains cultivés près des haies, ou sous les arbres. La chair est blanche mais vire au jaune, à maturité. Sa saveur est délicate et très bonne. Il faut toutefois la consommer avant que la chair ne vire au jaune, car elle ne représente plus alors qu'une masse poudreuse immangeable. Il existe d'autres vesses-de-loup plus petites, mais leur goût est plutôt fade.

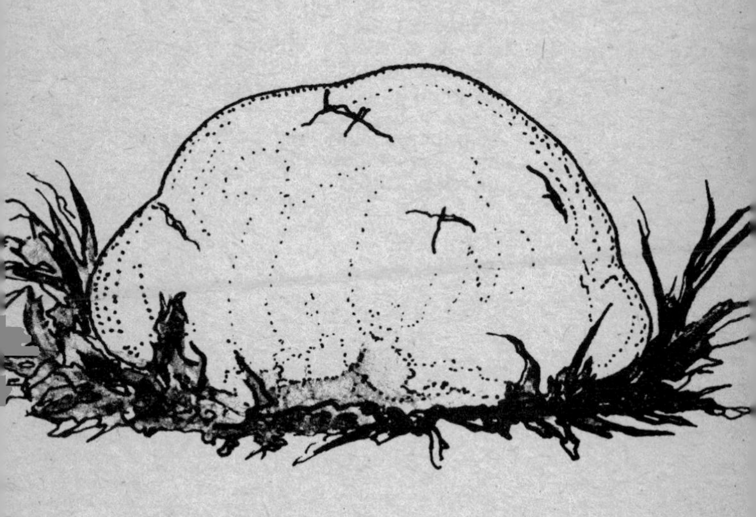

La vesse-de-loup géante

Les morilles

Ce groupe comprend plusieurs espèces. On reconnaît les morilles à leur chapeau, plus ou moins conique, percé par des alvéoles. Ils ne possèdent pas de lamelles et leur pied est creux. Les morilles sont toutes comestibles et succulentes. Il faut toutefois s'abstenir de les manger crues.
Elles contiennent, en effet, une toxine que la cuisson élimine aisément. Enfin, on ne risque pas de les confondre avec des espèces vénéneuses sauf, peut-être, le gyromitre succulent qui passe pour douteux. De toute façon, les deux sont faciles à différencier. Les morilles demeurent donc tout indiquées pour les débutants.

La morille conique
morchella conica

Chapeau: Conique (d'où son nom), il ne s'écarte pas du pied. Il atteint au plus 4 cm de diamètre. De couleur ocre ou vert-brun, il comporte des arêtes prononcées allant de la base au sommet. La marge est dentelée.

Lamelles: Inexistantes.

Spores: Inexistantes.

Pied: Court et blanc, en forme de cône inversé.

Volve: Inexistante.

Chair: Blanche et très mince.

Habitat: Au printemps, dans les champs, à l'orée des sous-bois et sur les gazons.

La morille conique constitue à elle seule un régal. Extrêmement facile à reconnaître, on ne risque pas de la confondre avec des espèces vénéneuses. C'est le champignon idéal des débutants et même des experts chevronnés qui en apprécient la délicieuse saveur.

La morille conique

La morille ronde
morchella rotonda

Chapeau: Arrondi ou ové, il ne s'écarte pas du pied et n'a que 3 à 6 cm de diamètre. De couleur jaune, orange ou plus souvent ocre, le chapeau est percé par des alvéoles irrégulièrement découpées.

Lamelles: Inexistantes.

Spores: Inexistantes.

Pied: Court, fort, blanc ou grisâtre, et souvent crevassé. Bulbeux et creux.

Volve: Inexistante.

Chair: Blanche et très mince.

Habitat: On la retrouve dans les champs, les prés, et sur les pelouses, tôt au printemps.

La morille ronde est, sans contredit, le champignon le plus facile à reconnaître et l'un des meilleurs. Un seul champignon plus ou moins vénéneux, le gyromitre succulent pourrait parfois être confondu avec elle. Mais les deux espèces se différencient facilement. Alors que le chapeau de la morille est percé de cavités (alvéoles), celui du gyromitre est formé de replis sinueux (voir description). Enfin, avec la morille conique, la M. ronde est un des meilleurs champignons à conseiller aux débutants.

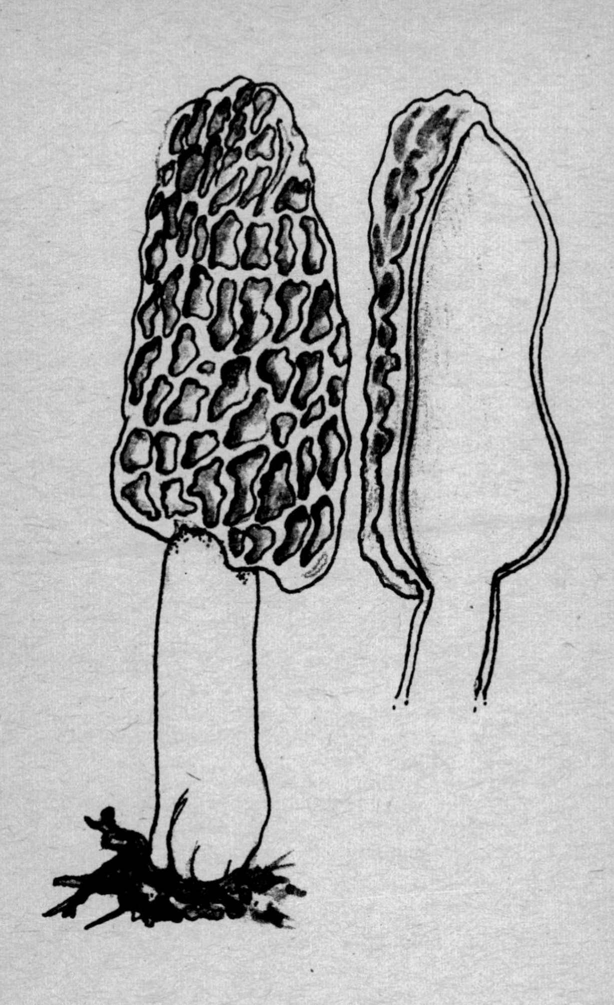

La morille ronde

Les gyromitres

Ce groupe comprend quelques espèces comestibles que certaines gens, toutefois, considèrent douteuses. Nous ne retiendrons que le gyromitre succulent qui, en dépit de son nom, est douteux et peut parfois être confondu avec la morille ronde. Cependant, comme nous le verrons, cette erreur est facilement évitable.

Le gyromitre succulent
gyromitra esculenta
moricaude

Chapeau: Plutôt globuleux, il atteint environ de 5 à 10 cm de diamètre. De couleur variant du jaune au brun prononcé, il se reconnaît facilement à ses nombreux replis qui lui donnent l'aspect d'une cervelle de mouton.

Lamelles: Inexistantes.

Pied: Blanc, fort et court. Il est creux et creusé de quelques sillons.

Volve: Inexistante.

Chair: Blanchâtre, mince et cassante.

Habitat: On le rencontre fréquemment au printemps, sous les conifères.

Le gyromitre succulent, malgré son nom évocateur, ne doit pas être consommé. Certaines personnes ont en effet été frappées de troubles graves après en avoir consommé. D'autres, cependant, peuvent le consommer sans danger, ce qui demeure obscur. De toute façon, mieux vaut l'éviter. On le distingue facilement des morilles par son chapeau à replis sinueux tandis que les morilles sont percées de cavités ou alvéoles.

Le gyromitre succulent 

Les helvelles

Ce groupe, apparenté aux deux précédents, comporte à la fois des espèces comestibles et vénéneuses. En ce qui nous concerne, nous ne retiendrons qu'une espèce comestible, la seule qui soit vraiment bonne. Celle-ci se reconnaît facilement et ne risque pas d'être confondue avec celles qui sont vénéneuses.

L'helvelle lacuneuse
helvella lacunosa
mitre d'évêque

Cette helvelle ressemble beaucoup à l'helvelle crépue. Elle s'en distingue cependant, par sa couleur noire. Bien que comestible, l'helvelle lacuneuse est insipide et d'aucune valeur. On la retrouve souvent dans les parages de l'helvelle crépue.

L'helvelle lacuneuse

L'helvelle crépue
helvella crispa
morille d'automne

Ce curieux champignon s'apparente beaucoup aux morilles. On le surnomme d'ailleurs morille d'automne. Son chapeau blanc, parfois brun très pâle, est curieusement échancré et lobé, un peu à la manière d'une feuille de papier froissée. Il atteint environ 5 cm de diamètre.
Le pied est plutôt fort, allongé, creusé de profonds sillons, et de couleur blanc terne.
La chair est blanche et très mince.
On retrouve cette délicieuse helvelle assez souvent, en automne, dans les bois.
D'autres helvelles gris-brun, et de plus forte taille, sont parfois légèrement vénéneuses; il faut les éviter. Enfin, l'helvelle crépue doit être mangée cuite. Elle contient, en effet, une toxine que la cuisson fait disparaître.

Comment les préparer

Comment les préparer

Il faut d'abord les laver à l'eau courante pour enlever toute trace de saleté. Il n'est pas nécessaire de peler les champignons. Seuls ceux dont le chapeau est écailleux ou fibreux doivent être pelés.

Coupez la base du pied, qui est le plus souvent coriace. Certains champignons, comme les clitocybes, ont un pied très coriace; il vaut mieux le retirer et ne consommer que le chapeau.

D'autre part, les tubes des bolets, ou les aiguilles d'autres espèces, deviennent coriaces lorsque le champignon est trop âgé. Il vaut mieux les enlever à l'aide d'un petit couteau.

Si vous soupçonnez la présence de quelque insecte, n'hésitez pas à couper les pieds et chapeaux en deux ou en quatre. N'oubliez pas qu'il vaut mieux trouver le ver avant, que d'en trouver la moitié d'un après avoir commencé à manger . . .

Trois faussetés
Deux petites trouvailles

Trois faussetés

La croyance fort répandue
selon laquelle des champignons bouillis
avec une pièce en argent sont comestibles
si la pièce reste intacte, et vénéneux
si la pièce noircit, *est fausse.*
Certaines amanites mortelles ne feront pas
noircir la pièce, tandis que d'autres espèces
comestibles la feront noircir.

Une autre croyance prétend que
les champignons mangés par les limaces
sont toujours comestibles. *C'est faux;*
les limaces sont particulièrement friandes
de l'amanite printanière qui est sans danger
pour les limaces, mais mortelle
pour les humains.

Enfin, le mythe selon lequel
les champignons qui changent de couleur
lorsqu'on en casse un morceau
sont vénéneux, *est faux.* La plupart
des bolets possèdent cette propriété
et pourtant un seul est quelque peu vénéneux.

Deux petites trouvailles

Les marasmes à saveur d'ail

Si vous avez la chance d'en trouver,
vous pourrez vous en servir pour remplacer
avantageusement l'ail en gousse.
Notez que trois ou quatre chapeaux
équivalent à une petite gousse d'ail.

Les pézizes

Leurs petites coupes orange vif peuvent
décorer magnifiquement les salades,
et plusieurs plats de légumes verts
et même des desserts d'été.

Amuse-gueule

1 cuil. à thé
de vinaigre de vin
⅓ tasse de jus de citron
1 tasse de champignons
coupés en rondelles
minces
Quelques gouttes
de sauce Worcestershire
Sel et poivre

Mélangez le vinaigre de vin, le jus de citron et la sauce Worcestershire dans un bol. Aromatisez avec le sel et le poivre. Versez les champignons dans ce jus, mélangez bien et laissez macérer pendant environ 3 heures, puis égouttez.

Servez sur des biscuits soda ou de petits carrés de pain rôti.

Note: Il vaut mieux ne pas utiliser de morilles pour cette recette. En effet, les morilles sont très indigestes lorsqu'elles sont consommées crues.
La cuisson cependant élimine facilement cette propriété.

Champignons à la sauce Madère

1½ tasse de champignons coupés en cubes
4 cuil. à soupe de beurre
½ tasse de vin de Madère
2 jaunes d'oeufs battus
1 tasse de crème épaisse
¼ tasse de persil haché fin
1 petite gousse dail émincée
Sel, poivre, sel de céleri
2 gouttes d'essence d'amande

Faites fondre le beurre et l'ail dans une poêle, puis ajoutez les champignons et le persil. Laissez mijoter à feu moyen, jusqu'à ce que les champignons s'amollissent un peu, puis retirez du feu.

Versez dans un autre poêlon le vin, la crème, l'essence d'amande et les jaunes d'oeufs battus. Assaisonnez au goût avec le sel, le poivre et une pincée de sel de céleri. Faites ensuite cuire la sauce à feu moyen jusqu'à ce qu'elle commence à épaissir. Versez-la alors sur les champignons, vérifiez l'assaisonnement et servez.

Vesses-de-loup sautées

1 vesse de loup moyenne
3 cuil. à soupe de beurre
1 petite gousse d'ail émincée
2 cuil. à soupe de vin rouge sec
Sel, poivre, basilic
¼ tasse de consommé à l'oignon
1 touffe de persil haché fin
1 cuil. à soupe de farine

Ces très gros champignons se préparent à peu près comme des aubergines. Il faut les couper en tranches minces et les faire frire.

Faites fondre le beurre et l'ail dans une grande poêle. Ajoutez les tranches de champignon et faites frire à feu moyen jusqu'à ce qu'elles commencent à roussir. Retirez du feu.

Dans un poêlon, portez à ébullition le vin, le persil et le consommé. Assaisonnez avec le sel, le poivre et une pincée de basilic. Baissez le feu et incorporez la farine en brassant constamment. Continuez à brasser jusqu'à ce que la sauce devienne bien lisse, puis versez sur les champignons et servez.

Champignons au four

6 gros champignons
(au moins 5 cm de dia.)
½ tasse de fromage
gruyère, haché fin
1 petit oignon haché fin
1 gousse d'ail émincée
2 cuil. à soupe de beurre
¼ tasse de consommé
de boeuf
¼ tasse de vin blanc sec
1 cuil. à soupe de farine
Sel, poivre et muscade

Coupez les pieds des champignons et hachez-les. Enlevez les tubes ou les lamelles, délicatement, avec un couteau. Sautez ensuite les chapeaux dans un peu de beurre pendant 2 à 3 minutes. Retirez du feu.

Faites fondre le beurre dans un autre poêlon et ajoutez-y l'ail, l'oignon et les pieds hachés; laissez brunir légèrement. Versez le consommé et le vin blanc et laissez mijoter à feu moyen pendant quelques minutes. Assaisonnez au goût avec le sel, le poivre et une pincée de muscade. Ajoutez la farine en brassant bien et laissez mijoter encore un peu à feu doux.

Placez alors les chapeaux dans une lèchefrite, emplissez-les à demi avec la sauce et complétez avec le fromage gruyère. Placez-les ensuite au four pendant quelques minutes à 400° F (250° C). Lorsque le fromage est bien fondu et qu'il commence à roussir, retirez du four et servez.

Champignons frits de la bonne Annie

1 tasse de champignons
¼ tasse de beurre
1 petite gousse d'ail hachée fin
Persil frais haché fin
Sel, poivre

Faites fondre, dans un poêlon, le beurre et l'ail. Laissez chauffer à feu deux jusqu'à ce que le beurre soit bien doré.
Ajoutez les champignons préalablement coupés en deux ou en quatre, selon leur grosseur. Ajoutez sel et poivre au goût et saupoudrez d'un peu de persil. Faites frire le tout à feu moyen jusqu'à ce que les champignons commencent à roussir. Servez.

Les champignons frits accompagnent particulièrement bien les plats de viande et la volaille.

Champignons farcis au crabe

Utilisez, de préférence, des bolets ou du moins des champignons au chapeau arrondi.

6 gros champignons (au moins 5 cm de dia.)
1 tasse de chair de crabe en boîte
1 piment vert haché fin
1 cuil. à soupe de mayonnaise
1 petit oignon haché fin
2 cuil. à soupe de beurre
1 gousse d'ail hachée
1 oz de vin blanc sec
Estragon, poivre, sel

Coupez les pieds des champignons et hachez-les. Enlevez les tubes ou les lamelles, délicatement, avec un couteau. Faites dorer le beurre dans un poêlon et ajoutez-y l'ail, l'oignon, le piment et les pieds hachés. Faites cuire à feu moyen en brassant souvent. Lorsque le piment et les oignons s'amollissent, ajoutez le vin blanc, une pincée d'estragon et sel et poivre au goût. Laissez mijoter quelques minutes, retirez du feu et versez dans un grand bol. Ajoutez la chair de crabe, la mayonnaise et mélangez le tout.

Faites maintenant sauter les chapeaux dans un peu de beurre à feu moyen, pendant 3 à 4 minutes. Remplissez-les de la farce et garnissez d'un peu de persil frais. Servez.

Soufflé aux champignons

3 cuil. à soupe de farine
¾ tasse de lait chaud
½ tasse de champignons tranchés
3 cuil. à soupe de beurre
4 jaunes d'oeufs battus
6 blancs d'oeufs
1 cuil. à soupe de cognac
¼ cuil. à thé de sel
Une pincée de muscade

Faites fondre le beurre dans un poêlon, à feu doux. Incorporez la farine puis ajoutez le lait en brassant continuellement avec un fouet, jusqu'à ce que la sauce soit bien lisse. Videz-la ensuite dans un grand bol.

Ramollissez les champignons en les faisant frire à feu moyen dans un peu de beurre. Ajoutez-les à la sauce de même que les jaunes d'oeufs, le cognac, le sel et la muscade. Mélangez bien le tout.

Battez les blancs d'oeufs jusqu'à ce qu'ils soient fermes (mais pas secs) et incorporez-les à la sauce en brassant, avec une spatule de caoutchouc, d'un mouvement de rotation, de haut en bas, afin d'y incorporer le plus d'air possible.

Videz le mélange dans un moule à soufflé et placez au four pendant 35 min., à 375° F (190° C). Servez.

*Crème de champignons de ma mère

2 tasses de champignons hachés fin
2 tasses de pommes de terre cuites
3 tasses de bouillon de poulet chaud
2 cuil. à soupe de beurre
¼ tasse de persil frais haché fin
⅔ tasse de crème épaisse
Sel, poivre et muscade
1 gousse d'ail émincée
1 cuil. à thé de sel de céleri

Faites fondre le beurre dans une casserole et ajoutez les champignons. Laissez mijoter un peu à feu moyen, puis ajoutez l'ail et le persil. Assaisonnez au goût avec le sel, le poivre et une pincée de muscade. Laissez le tout mijoter à feu doux pendant quelques minutes. Ajoutez le bouillon et laissez encore mijoter pendant quelques minutes en brassant de temps en temps.

Coupez les pommes de terre en petits cubes et passez-les au "blender" avec le bouillon (environ une tasse à la fois).

Versez le tout à nouveau dans la casserole et portez à ébullition. Ajoutez la crème (préalablement chauffée) et le sel de céleri. Ramenez à ébullition, puis servez.

*Il faut se servir d'un "blender" pour la réaliser.

Sauce aux champignons pour la fondue

¾ tasse de champignons hachés très fin
1 petit oignon haché très fin
2 cuil. à table de beurre
¼ tasse de vin blanc sec
¼ tasse de bouillon de poulet
1 cuil. à table de farine
Sel, poivre, basilic

Faites fondre le beurre dans un petit poêlon. Ajoutez les oignons et les champignons et laissez mijoter à feu moyen jusqu'à ce que les oignons ramollissent. Retirez du feu et ajoutez la farine, une pincée de basilic, du sel et du poivre, et mêlez le tout. Versez le vin blanc et le bouillon de poulet sur le mélange en brassant constamment, puis portez à ébullition. Laissez mijoter à feu doux jusqu'à ce que la sauce épaississe. Servez.

Pézizes au sirop d'érable, flambées

2 tasses de pézizes
Du sirop d'érable (ou du réduit)
2 c. à table de Grand Marnier
1 c. à table de jus de citron
Vanille

Il faut faire tremper les pézizes dans du sirop d'érable pendant au moins 8 heures; il est donc préférable de les préparer la veille. Lorsque vous êtes prêt à les servir, retirez-les du sirop en les égouttant sommairement. Dans une petit bol, mélangez ½ tasse de sirop d'érable avec le jus de citron, et aromatisez d'un peu de vanille. Disposez les pézizes dans un joli bol et versez le mélange dessus. Faites chauffer le Grand Marnier et versez-le sur les pézizes. Flambez, puis servez. Donne de 4 à 6 portions.

Sommaire